LA DÉCO COMME LES

peinture

•MARABOUT•

LA DÉCO COMME LES PROS

peinture

Patricia Monahan
Trevor Dean

photographies de Deirdre Rooney

SOMMAIRE

DÉCORER

Vous n'avez jamais tenu un pinceau de votre vie, vous ne connaissez pas la différence entre la peinture à l'huile et la peinture à l'eau, et, à la vue des mille et un pots de couleurs des magasins, vous êtes littéralement en panique ? Cet ouvrage est fait pour vous !
Mais quelles peuvent bien être les raisons qui vous poussent à vouloir décorer vous-même votre intérieur au lieu de faire appel à un professionnel ? Le coût moins élevé, tout d'abord : la décoration prend du temps et le temps, c'est de l'argent. Alors que l'application de la peinture se révèle plutôt rapide, l'organisation du travail, le choix et la recherche du matériel, ainsi que la préparation de la surface à peindre, réclament réflexion et disponibilité.
Réaliser votre décoration vous donne également beaucoup plus d'autonomie : vous programmez votre travail et son rythme et vous pouvez changer d'avis en toute liberté.
En outre, les divers travaux – apprêt, ponçage, décollage de papier peint, application de la peinture – peuvent se faire avec tranquillité et permettent à votre esprit de s'évader agréablement. Ces tâches vous offrent, de surcroît, l'occasion de vous dépenser : songez à l'énergie que réclament tous les gestes nécessaires – monter sur un escabeau et en descendre, étendre et remuer les membres, soulever et déplacer un certain nombre d'accessoires –, qui entretiennent votre forme !
Lorsque vous entreprenez un travail de décoration minutieux, vous êtes contraint d'inspecter de près votre intérieur. Vous constatez tout à coup qu'une foule de petits détails méritent d'être corrigés : des prises de courant et des plinthes se décollent ; des loquets ne coulissent plus. Vous pouvez remédier, au cours de votre réalisation, à ces petits défauts longtemps négligés : les nouvelles connaissances que vous en retirez vous donnent de l'assurance et vous permettent même d'envisager des réparations plus importantes que vous n'auriez pas songé à entreprendre auparavant.
Enfin, l'embellissement de votre intérieur par vos propres moyens est source de multiples gratifications : l'organisation d'un travail de ce genre et son exécution procurent un sentiment de satisfaction non négligeable à de multiples de points de vue. Votre maison ou votre appartement fraîchement peints ont un aspect accueillant et « neuf », votre famille et vos amis vous expriment leurs compliments et leur admiration.

SOI-MÊME

Comment vous y prendre ?

Une décoration réussie demande donc de l'organisation et du temps. En fait, la règle la plus importante consiste à ne pas fixer de date limite, c'est-à-dire à ne pas tenir compte de la durée nécessaire des travaux. Dans l'idéal « hâtez-vous lentement », ce qui peut sembler difficile si vous avez des contraintes professionnelles et familiales.

Prenez le temps d'envisager tous les aspects de votre entreprise. Étudiez la pièce, réfléchissez aux couleurs, aux produits et aux techniques que vous allez utiliser. Divisez le travail en petites tâches : rangement et « évacuation » de la pièce, installation des bâches, lessivage des surfaces à peindre, pose de l'enduit, ponçage etc.

Faites une liste des outils et des matériaux dont vous avez besoin et des tâches à accomplir et évaluez approximativement le temps qu'il vous faudra pour chacune d'entre elles, en vous accordant une « marge ». Cette précaution vous permettra de trouver plus facilement des moments propices à l'exécution d'une partie des travaux et se révélera très utile si vous avez l'intention d'y consacrer vos soirées. Si vous planifiez rigoureusement les diverses étapes de votre progression, vous éviterez les grosses surprises et les situations stressantes (comme le fait de ne pas avoir terminé une pièce avant l'arrivée d'un ami ou la naissance de votre bébé). Un travail qui progresse à un rythme raisonnable est agréable ; soumis à un délai trop court, il devient stressant et décourageant.

PEINTURES ET FINITIONS

Le choix des peintures peut se révéler problématique pour le décorateur inexpérimenté. Grâce à l'évolution de la technologie, les produits actuels sont faciles à employer – plus propres et aisés à appliquer –, mais leur variété s'est aussi considérablement accrue. Il semble qu'il existe une peinture ou un produit de finition pour chaque situation – des peintures de plafond qui changent de couleur afin que l'on puisse suivre la régularité du travail, aux peintures universelles pouvant être utilisées sur presque tous les supports... La même diversité s'applique aux teintes et vernis pour bois. Ce chapitre fait le point sur les différents types de fabrications et leur emploi. Sa lecture peut sembler fastidieuse, surtout si vous avez envie de vous mettre tout de suite au travail ; pourtant elle vous permettra de gagner du temps et d'éviter bien des écueils.

La peinture est constituée de différents éléments : le pigment, qui lui donne sa couleur, et le liant, qui lie les particules de pigment entre elles. S'ajoutent le solvant, qui a pour fonctions de liquéfier le produit, et des additifs, aux rôles divers.

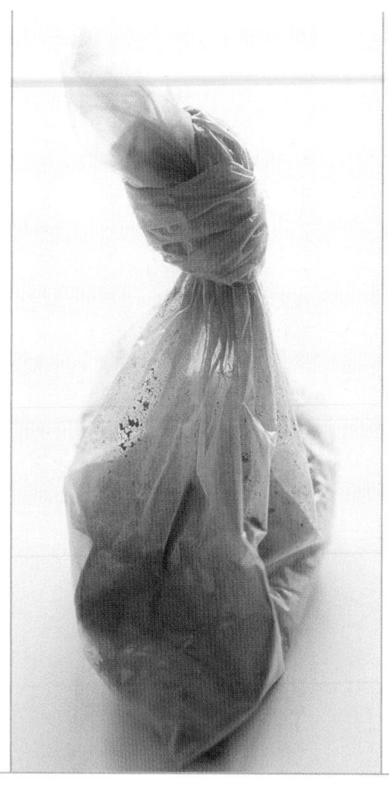

POURQUOI PEINDRE ?

La peinture est un élément de décoration merveilleux. Cette substance très complexe, de haute performance, adhère étroitement à la surface, qu'elle recouvre d'un film uniforme de 25 à 50 microns d'épaisseur, tout en la protégeant et en transformant radicalement son aspect. La plupart des architectes d'intérieur la choisissent pour sa couleur, mais elle comporte bien d'autres qualités intéressantes : certaines variétés sont imperméables ; d'autres résistent aux taches et aux éraflures ; d'autres encore se révèlent suffisamment souples pour supporter la dilatation et la rétraction de supports tels que le bois. Bien que le prix soit en général un bon indicateur de qualité, il n'est pas inutile de se rendre dans plusieurs magasins afin de comparer le coût de produits équivalents.

Qu'est-ce que la peinture ?

Dioxyde de titane (pigment), carbonate de calcium et oxyde de zinc (éléments d'extension du pouvoir couvrant)

Liant

Le liant sert à agglomérer les éléments d'un autre composant : ici, il lie les particules de pigment entre elles. La peinture devient alors adhérente et laisse, en séchant, un film couvrant. Les liants étaient jadis constitués de colle ou d'huile. Aujourd'hui, le copolymère d'acétate de vinyle, le polyuréthane et l'acrylique sont utilisés dans les peintures à l'eau, émulsions au sein desquelles ils sont dispersés en particules microscopiques. Lorsque la peinture est appliquée, l'eau s'évapore et laisse un film très fin.

Huile de lin et acrylique

Additifs

Les additifs servent à améliorer les performances de la peinture. Certains d'entre eux sont des conservateurs, qui empêchent les bactéries de se répandre dans le pot ou protègent les surfaces peintes de diverses moisissures ou de la rouille ; d'autres augmentent le pouvoir couvrant et l'étalement de la couche appliquée. Les surfactants et dispersants assurent une bonne homogénéité du produit en empêchant les divers composants de se séparer dans le pot.

MOTS CLÉS

Pigment Substance qui donne à la peinture sa couleur et son pouvoir couvrant.
Liant Matière qui lie les particules de pigment et les fait adhérer au support.
Pouvoir opacifiant Capacité d'une peinture à dissimuler la surface recouverte.
Solvant Fluide dans lequel le pigment est dispersé. Il sert également à liquéfier la peinture et à nettoyer les outils. L'eau est le solvant de la plupart des peintures à l'eau et le white-spirit, celui des peintures à l'huile.

Liants de peinture à l'huile
La plupart des peintures à l'huile sont maintenant à base d'huiles modifiées ou alkydes, qui sèchent plus rapidement et sont plus résistantes que celles des peintures anciennes. Nombre de produits associent huile et alkyde pour obtenir le maximum de souplesse. Quand une peinture à l'huile est appliquée sur une surface, le solvant s'évapore en laissant le liant et le pigment. L'huile sèche et s'oxyde, formant alors un film très résistant.

Pigment

Le pigment est une substance solide qui donne à la peinture sa teinte et dont les particules, agglutinées par le liant, adhèrent à un support. L'oxyde de titane, pigment blanc, peut être associé à d'autres pigments de couleur. Les peintures les moins chères contiennent également des éléments tels que le carbonate de calcium, l'oxyde de zinc et diverses sortes d'argiles : elles augmentent le volume du produit et permettent de couvrir davantage de surface.

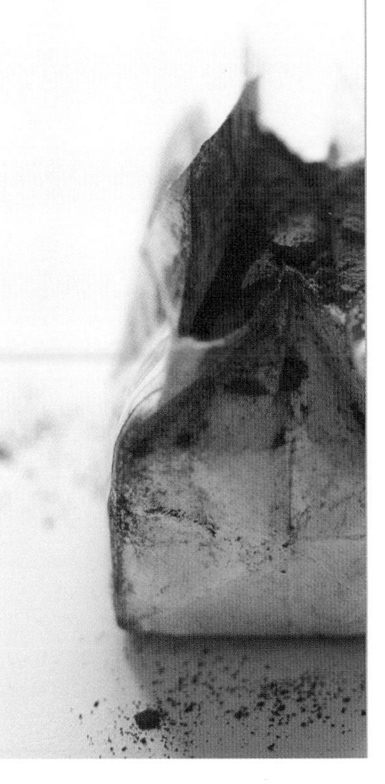

Solvant

C'est l'élément fluide de la peinture, grâce auquel elle s'étale sur son support ; il sert à la liquéfier si elle est trop épaisse, et il est utilisé pour nettoyer les outils. Les peintures anciennes, à la colle ou aux résines solubles dans l'eau étaient diluées à l'eau, alors que les peintures à l'huile l'étaient à l'essence de térébenthine. L'eau est le diluant des peintures acryliques et des émulsions, alors que le white-spirit est celui des peintures à l'huile. Référez-vous toujours aux instructions figurant sur le pot pour savoir quel solvant utiliser.

La peinture décorative a une longue histoire : la grotte Chauvet, en Ardèche, abrite ainsi des représentations d'animaux très expressives remontant à plus de 31 000 ans.

Pigment outremer

HISTOIRE DE LA PEINTURE

Pour décorer leurs grottes, les hommes de la Préhistoire se servaient du charbon de bois et d'argiles ferrugineuses jaunes et rouges. Ils liaient ces pigments avec de l'eau, de la salive et de la graisse animale, puis appliquaient le produit obtenu à l'aide de leurs mains ou de brindilles ou soufflaient simplement le pigment sec sur les parois. Les oxydes de fer jaune et rouge constituaient les couleurs de base des artisans de l'Égypte à la Chine anciennes. Dans l'Antiquité, des pierres semi-précieuses telles que le cinabre, le lapis-lazuli, la malachite et l'orpiment offraient une gamme de rouges, de bleus, de verts et de jaunes vifs. Au XVIIIe siècle, apparurent des versions synthétiques de pigments à base d'argile et au XIXe siècle, les dérivés du coaltar suscitèrent une explosion de teintes nouvelles.

Sanguine

Peintures anciennes

Truc

Fabriquez vos propres mélanges pour créer un intérieur d'époque, en vous procurant les composants nécessaires dans des magasins spécialisés, ou achetez les produits modernes tout prêts, élaborés pour reproduire les couleurs et les textures des décors anciens.

Peintures diverses

Peintures à l'huile

Elles étaient constituées d'huile de lin, d'un diluant volatile tel que l'essence de térébenthine, d'un pigment opacifiant – le blanc de céruse, en général – et d'un pigment de couleur. Le blanc de céruse, qui représentait 80 % de ces produits et leur conférait imperméabilité et élasticité, en faisait la couverture idéale des matériaux poreux ou des surfaces extérieures soumises à des changements de température et à l'humidité. L'huile durcissait par polymérisation pour former un film protecteur résistant, liant entre elles les particules de pigment et les faisant adhérer au support. Le processus de polymérisation, ou « séchage » était lent mais pouvait être accéléré par l'addition d'un composé métallique, le siccatif, dispersé dans l'huile à l'instar du pigment. La peinture trop épaisse était liquéfiée à l'aide d'essence de térébenthine, qui s'évaporait avant la polymérisation et réduisait le brillant du produit. La peinture à l'huile traditionnelle met 72 heures à sécher dans des conditions de chaleur moyenne.

Où les trouver? On trouve encore des peintures à l'huile à base de plomb mais leur utilisation est soumise à des restrictions. Elles ne sont plus employées que pour la restauration et l'entretien des monuments historiques.

Peintures à la détrempe

Les peintures à l'eau, dites « à la détrempe » étaient traditionnellement appliquées sur l'enduit intérieur. Elles consistaient en un pigment de base blanc – en général de la craie écrasée – mélangé à un liant organique – colle animale ou colle végétale à l'eau. Quand l'eau s'évaporait, le liant agglutinait le pigment et donnait une finition opaque. Dépourvue de la densité de couleur et de la résistance de la peinture à l'huile, la détrempe était moins chère et séchait rapidement. Relativement fragile, elle présente un velouté mat; la craie qu'elle contient lui confère une douce nuance pastel.

Où les trouver? Vous pouvez toujours acheter de véritables détrempes, encore appréciées pour leur aspect velouté et leur capacité à refléter la lumière, mais elles ne sont pas adaptées aux surfaces soumises à la vapeur ou à l'humidité.

Blanc de chaux

Ce produit de finition bon marché, utilisé sur des enduits intérieurs, de la pierre ou de la brique, était constitué de chaux éteinte, d'eau, de sel (conservateur) et d'autres composants tels que le lait. Employé pour nettoyer et désinfecter, il était appliqué sur des plafonds pour donner de la luminosité aux pièces sombres ou pour souligner les contours de vestibules, d'escaliers et de portes. La chaux peut être colorée à l'aide de pigments.

Où le trouver? Le blanc de chaux peut être acheté dans des magasins spécialisés. En général, le produit destiné à l'extérieur contient du suif (extrait de la graisse de mouton et de bœuf), tandis que celui utilisé pour l'intérieur contient de la caséine (protéine de lait de vache).

Peintures à la caséine

Les peintures au lait étaient fabriquées avec de la chaux éteinte ou hydratée, du pigment et du lait. On y ajoutait de l'huile pour créer une puissante émulsion et plusieurs additifs destinés à en accroître la solidité. Ces peintures étaient utilisées à la fois pour les surfaces intérieures et extérieures.

Où les trouver? Les peintures au lait sont disponibles dans des magasins spécialisés.

POINTS CLÉS

Très appréciés, les peintures et pigments sont utilisés pour la décoration depuis au moins 30 000 ans.

La peinture au plomb n'est destinée qu'à certains travaux de rénovation et de conservation.

La peinture à l'ancienne se trouve encore dans des magasins spécialisés.

Les couleurs anciennes conçues pour reproduire des décors d'époque sont aujourd'hui vendues sous une forme beaucoup plus facile à utiliser qu'autrefois.

Peintures « à l'ancienne »

L'intérêt croissant du public pour la conservation du patrimoine a suscité la fabrication de nouvelles peintures « à l'ancienne », qui recréent le décor de différentes périodes historiques. Ainsi, que vous viviez dans une maison rustique, un immeuble Art déco ou un cadre des années trente, il vous est facile de trouver des produits adaptés à votre intérieur et aux noms de couleurs évocateurs: coquille d'œuf, puce, ardoise, lie-de-vin, tango, sang de taureau, rouge vénitien et rose indien, pour n'en citer que quelques-uns.

Quelles sont les peintures les plus saines ? Celles qui ont le moins d'effets nocifs ? Les réponses sont parfois contradictoires.

COMMENT CHOISIR ?

Choisir une peinture « saine » peut se révéler extrêmement décourageant. Certains produits actuels sont présentés comme « écologiques », sans danger pour l'environnement, organiques, naturels, sans odeur, sans C.O.V. (composants organiques volatiles, voir p. ci-contre) ou sans solvants. Il est vrai que la plupart d'entre eux contiennent moins de composants potentiellement dangereux que par le passé, mais il est presque impossible de trouver des fabrications à la fois efficaces et n'ayant aucun impact sur la santé ou sur la nature.

Peintures saines

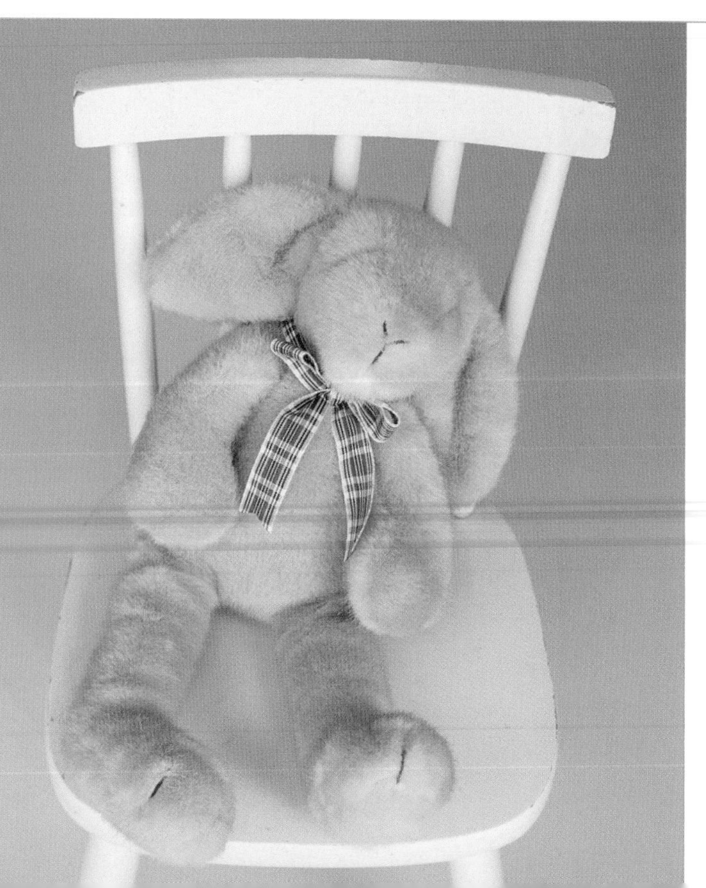

La sécurité dans une chambre d'enfants

Les matériaux utilisés dans les chambres d'enfants doivent être sains. Employez des peintures à l'eau, dont la plupart contiennent moins de C.O.V. – certaines marques « vertes » n'en comportent aucun. Ces produits dégageant une odeur, n'installez les occupants dans la pièce que deux semaines après la fin des travaux, afin de laisser le temps aux émanations de se dissiper. Vous pouvez également essayer des peintures « au lait ». Lisez attentivement les étiquettes, en particulier les avertissements, et suivez les instructions à la lettre.

Tout ce que votre enfant est susceptible de sucer ou de mâcher – lit, meubles et jouets – doit faire l'objet de précautions particulières. Il existe dans les magasins spécialisés des peintures, laques et autres produits teintants conçus pour ces accessoires et conformes à la norme EN 71.3 « Sécurité des jouets » de 1989. Vérifiez que les lits achetés d'occasion ne sont pas recouverts de peinture au plomb avant de les décaper ou de les repeindre. Si le plomb est présent, envoyez l'objet à une entreprise qui le trempera dans un bain d'acide – des adresses figurent dans les Pages jaunes à la rubrique « Décapage ». Après avoir vérifié que la colle des joints a résisté au bain corrosif, frottez le bois au papier de verre avant d'appliquer la sous-couche, puis la couche de finition.

Solvants

Les peintures à l'huile traditionnelles contenaient des solvants qui n'étaient pas sans risque et dégageaient une odeur jugée déplaisante par nombre de leurs utilisateurs. Elles sont aujourd'hui remplacées pour de multiples usages par des peintures à l'eau : il existe des produits résistants pour le bois, et des vernis à l'eau pour lesquels il ne faut utiliser ni essence de térébenthine, ni white-spirit.

White-spirit

C.O.V.

Les éléments de la peinture les plus dangereux pour la santé et l'environnement (également présents dans l'essence et les cigarettes) sont les C.O.V. (composants organiques volatiles). Il s'agit de composés organiques – ce qualificatif leur est attribué car ils contiennent du carbone – qui s'évaporent à température ambiante. La loi réglemente de plus en plus leur utilisation dans la peinture : de plus en plus de marques précisent que le produit contient peu de C.O.V., voire pas du tout.

POINTS CLÉS

Les peintures qui respectent la santé et l'environnement sont très diverses : certaines d'entre elles sont synthétiques, d'autres utilisent des ingrédients naturels. Sachez toutefois qu'il est presque impossible de trouver un produit « vert » qui soit à la fois efficace et sans effet nocif.

Vérifiez l'absence de plomb sur des lits ou meubles d'occasion peints avant de les décaper ou de les repeindre. Laissez les émanations se dissiper pendant deux semaines avant d'installer un enfant dans sa chambre.

Orpiment

Cinabre

Naturelle ?

Beaucoup de gens aiment utiliser des produits « naturels ». Les peintures à la caséine, ou peintures au lait, sont relativement sans danger pour l'environnement et non toxiques, mais elles doivent être manipulées avec précaution en raison de la chaux qu'elles contiennent – irritante pour les yeux et la peau en cas d'éclaboussures. Certains pigments naturels, tels que le cinabre et l'orpiment sont très toxiques. Le cinabre (vermillon) est un sulfure de mercure et l'orpiment (jaune orangé), un sulfure d'arsenic.

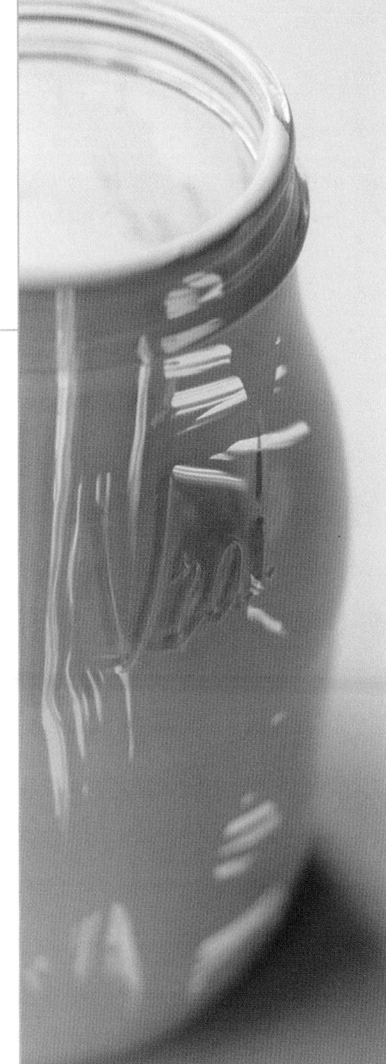

Organique ?

Le mot « organique » prête à confusion. Nombre de peintures contiennent des solvants tels que la térébenthine, naturelle et organique mais également toxique.

Certains des produits les moins dangereux pour l'environnement et la santé sont constitués de composants – liants, résines, pigments – synthétiques. Ils sont non toxiques et ne contiennent pas de solvants, mais ils ne sont pas pour autant « naturels ».

La gamme de produits de peinture proposée aux consommateurs est de plus en plus vaste et déroutante. Pour faire le « bon choix », il vous faut décider de vos priorités et bien étudier la question.

La profusion des produits rend le choix délicat. Prenez votre temps, lisez les étiquettes, documentez-vous et n'hésitez pas à poser des questions. Votre décision influera considérablement sur la facilité d'application, la durée du travail et la finition.

À L'HUILE

Les peintures à l'huile ou à base d'alkydes étaient autrefois les plus couramment utilisées. Aujourd'hui, elles sont encore appréciées par certaines personnes pour leur temps de séchage, leur pouvoir couvrant et leur solidité, bien qu'elles soient pourtant beaucoup moins agréables à manipuler que les produits à l'eau : elles doivent être nettoyées avec des diluants minéraux, ont tendance à jaunir au fil du temps et dégagent une odeur désagréable – ajoutons qu'elles contiennent des composants dangereux pour la santé et l'environnement. Bien qu'il existe aujourd'hui un produit à l'eau pour pratiquement chaque usage, certaines situations requièrent l'emploi de la peinture à l'huile. Par exemple lorsque vous appliquez une sous-couche sur du papier peint, l'eau peut imbiber le papier et entraîner la formation de cloques par endroits, alors que l'huile l'agglomère et le maintient bien à plat.

Faites le bon choix

Truc

Les peintures acryliques sont un bon substitut des peintures à l'huile.

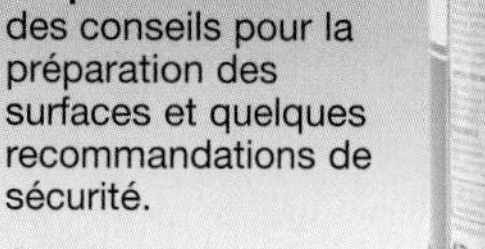

Ce que le pot vous révèle

L'étiquette du pot de peinture est une mine d'informations. Si vous la lisez avant de faire votre achat, ou en tout cas avant de commencer votre travail, vous éviterez des erreurs. Sur le devant figurent en gros caractères des informations essentielles : fabricant, marque et type de produit – il s'agit ici d'une peinture acrylique d'impression. Les éléments figurant au dos du récipient sont tout aussi utiles : étudiez-les.

À L'EAU

Les peintures à l'eau, qui présentent de nombreux avantages, constituent aujourd'hui la plus grande partie des ventes sur le marché de la décoration intérieure. Pouvant être nettoyées à l'eau, elles sont pratiques et faciles à utiliser. Leur durée de séchage réduite vous permet de ne pas attendre trop longtemps entre deux couches et donc de travailler plus vite (les produits purement acryliques ont un temps de séchage relativement long). Les peintures à l'eau ont également une odeur moins forte, sont ininflammables et en général moins dangereuses pour la santé et l'environnement. Elles résistent bien aux éraflures, aux craquelures et au jaunissement. Cependant, elles sont parfois délicates à appliquer : vous devez réfléchir à votre progression, travailler vite et ne pas reprendre un travail à côté d'une partie déjà sèche, car le raccord serait très apparent, ainsi que les coups de pinceau.

Acrylique

Les peintures entièrement acryliques, qui s'adaptent à des surfaces différentes, sont des peintures à l'eau de haute performance possédant de nombreuses qualités. Elles sèchent rapidement et sont faciles à utiliser car les pinceaux et autres applicateurs peuvent être nettoyés à l'eau. Adhérant parfaitement à leurs supports variés, elles résistent très bien aux taches de produits contenant de l'eau, tels que les jus de fruit, le café et le vin, par exemple, tout comme aux produits nettoyants alcalins et à l'effet ramollissant des graisses. Ces atouts en font un choix idéal pour les cuisines et salles de bains.

Qualités de peinture

Qualité inférieure C'est la moins chère. L'efficacité des liants est moins durable, elle comporte davantage d'éléments augmentant son rendement et donne un film moins épais.

Qualité moyenne C'est celle que l'on trouve le plus couramment. De bon rapport qualité-prix, elle convient à la plupart des usages.

Qualité supérieure Adhérant parfaitement à son support, elle résiste au temps et aux agressions diverses – poussière, taches et nettoyages ; elle se révèle donc particulièrement adaptée aux pièces de la maison très « exposées » comme la cuisine.

Plusieurs couches

Peindre un objet signifie le recouvrir de plusieurs couches de peinture.

- **Primaire et fixateur** La couche d'impression (dite « primaire ») est la première couche complète appliquée sur une surface afin de la préparer – en la lissant et en la rendant moins absorbante – aux couches suivantes, dont l'étalement sera alors plus facile, et qui adhéreront mieux à leur support. Le fixateur sert, comme son nom l'indique, à stabiliser une surface poreuse, poudreuse, écaillée ou tachée.

- **Sous-couche** C'est la couche intermédiaire préparant la surface imprimée ou fixée à la couche de finition, dont elle permet d'augmenter la qualité.

- **Couche de finition** C'est la couche finale, celle qui donne à l'objet peint son aspect définitif. Elle est en général appliquée par-dessus une couche d'impression ou de fixation et une sous-couche.

TERMES CLÉS

Acrylique Polymères synthétiques utilisés dans des peintures de haute performance qui, solubles à l'eau sous forme liquide, forment un film imperméable une fois secs.
Alkyde Résine synthétique qui permet à la peinture à l'huile de sécher rapidement.
Finition C'est l'aspect visible définitif laissé par la dernière couche appliquée sur un objet. Sa qualité dépend essentiellement de la préparation du support, d'abord imprimé ou fixé, puis recouvert d'une sous-couche.
Polymérisation Processus au cours duquel une couche humide sèche en durcissant et en devenant résistante.

Choix de la finition

- **Laque** Donne un fini brillant. Idéale pour les détails qui accrochent l'œil tels que les chambranles ou les plinthes, elle est employée dans les cuisines et salles de bains car, en plus de résister à la poussière et aux champignons, elle se nettoie d'un coup de chiffon. Elle est toutefois rarement utilisée sur les murs car elle met en valeur les défauts de la surface peinte.

- **Brillante** Moyennement brillante, elle donne une surface solide, facile à nettoyer, qui résiste bien à la poussière et aux champignons. Elle convient aux pièces très utilisées telles que les cuisines et les salles de bains.

- **Satinée** Légèrement brillante, elle donne une finition solide et résiste mieux que la peinture mate à la poussière, aux taches et aux frottements. C'est un bon choix pour les endroits de passage tels que les couloirs et les pièces de jeux.

- **Mate** Elle ne brille pas, masque les petites rugosités et donne un fini uniforme. Pouvant retenir la poussière, elle devient parfois brillante par frottement. D'une grande densité de couleur grâce à sa texture, elle est utilisée pour les murs des pièces à vivre et des chambres à coucher.

La clé du succès réside dans la combinaison entre la couche d'impression ou de fixation, la sous-couche et la couche de finition. Soigneusement étudiée, elle garantira à votre travail élégance et pérennité.

LA « BONNE » PEINTURE

La qualité essentielle d'une peinture est d'adhérer correctement à son support, mais pour obtenir ce résultat, il faut préparer soigneusement la surface à peindre. Si elle est nue, il est important d'appliquer un primaire ou un fixateur adéquats. Le primaire, qui unifie la zone à peindre, est un produit en général pigmenté. Le fixateur, non pigmenté, est destiné à lisser, lui aussi, les supports afin de les préparer aux deux couches de peinture suivantes. Si vous utilisez un primaire ou un fixateur bien adaptés – il en existe un très large éventail sur le marché –, vous pouvez ensuite appliquer pratiquement n'importe quelle peinture sur n'importe quelle surface (voir le chapitre 3 pour plus d'informations) ; si vous ne savez pas lequel employer, choisissez un produit universel sur tout ce qui n'est pas du plâtre – il existe des produits spéciaux pour le plâtre, matériau très absorbant.

Il existe également toute une gamme de produits destinés à unifier et peindre des matériaux spécifiques. Lisez soigneusement les instructions portées sur les pots. Les tableaux suivants donnent une vue d'ensemble des produits à utiliser en fonction du support.

Choisir **une peinture**

Préparation des surfaces à peindre

Si vous préparez correctement la surface à peindre, vous pouvez ensuite la recouvrir de pratiquement n'importe quelle peinture.

Surface	Primaire/fixateur
Plafond et plâtre mural (bien sec)	Émulsion pour plâtre neuf ; primaire/fixateur spécifique ; primaire universel
Bois tendres (traiter les nœuds avec de la pâte à bois)	Primaire acrylique ; à l'huile ; universel ; primaire/fixateur spécifique
Bois durs	Primaire à base d'aluminium
Plancher	Primaire/fixateur spécifique ; primaire universel ; acrylique ; à l'huile ; vitrificateur (dilué à 10 %)
Mélaminé	Primaire spécifique ; primaire/fixateur spécifique
Médium	Primaire/fixateur spécifique pour médium
Marbre	Primaire/fixateur de bonne qualité
Métal	Primaire pour métal ; antirouille ; primaire spécifique
P.V.C.	Primaire spécifique
Verre	Peinture pour verre spécifique
Carrelage faïence	Peinture spécifique carreaux de faïence

Traitements pour surfaces déjà peintes ou nouvellement imprimées/fixées

Plafonds et murs

Première couche	Deuxième couche/troisième couche (si nécessaire)
émulsion non vinylique mate	émulsion non vinylique mate
émulsion non vinylique satinée	émulsion non vinylique satinée
émulsion vinylique mate	émulsion vinylique mate
émulsion vinylique satinée	émulsion vinylique satinée
primaire acrylique/sous-couche	acrylique brillante
acrylique universelle mate	acrylique universelle mate
acrylique universelle satinée	acrylique universelle satinée
sous-couche à l'huile	à l'huile brillante

Portes et encadrements de bois dur ou tendre, fenêtres, lambrequins, plinthes, étagères, lambris, marbre, P.V.C., médium

Première couche	Deuxième couche/troisième couche (si nécessaire)
acrylique universelle	acrylique universelle
sous-couche à l'huile	laque à l'huile
sous-couche à l'huile	à l'huile brillante
primaire/sous-couche acrylique ou à l'huile	acrylique brillante
primaire/sous-couche acrylique ou à l'huile	laque acrylique

Mélaminé

Première couche	Deuxième couche/troisième couche (si nécessaire)
peinture spécifique pour mélaminé	peinture spécifique pour mélaminé

Verre

Première couche	Deuxième couche/troisième couche (si nécessaire)
peinture spécifique pour verre	peinture spécifique pour verre

Carreaux de faïence

Première couche	Deuxième couche/troisième couche (si nécessaire)
peinture pour carreaux de faïence	peinture pour carreaux de faïence

POINTS CLÉS

Une bonne préparation permet aux couches suivantes de bien adhérer à la surface peinte.
Le primaire, en général pigmenté, lisse une surface et la prépare aux couches suivantes.
Le fixateur, le plus souvent, non pigmenté, fixe et unifie le support pour le préparer aux couches suivantes.
La peinture de bonne qualité adhère mieux au support et est plus facile à travailler que les autres.
Suivez les instructions en matière de température, de préparation, d'application et de séchage.

Peintures spécifiques

Vous vous demandez peut-être quels sont les avantages des produits spécifiques présentés dans les rayons des magasins de peintures. Les produits « Cuisine et salle de bains » sont des émulsions à l'eau brillantes qui ont un fini particulièrement solide, résistant à l'humidité. La « peinture de plafond », souple, qui produit peu d'éclaboussures, résiste aux craquelures et diffuse bien la lumière artificielle ; de faible pouvoir opacifiant, elle met longtemps à sécher : il vous faut parfois attendre trois jours pour passer la couche suivante. Blanche une fois sèche, elle prend parfois une nuance rose à l'application. Grâce à cette caractéristique, qui vous permet de savoir où vous vous êtes arrêté lorsque vous peignez du blanc sur du blanc, vous pouvez vérifier la régularité de votre travail.

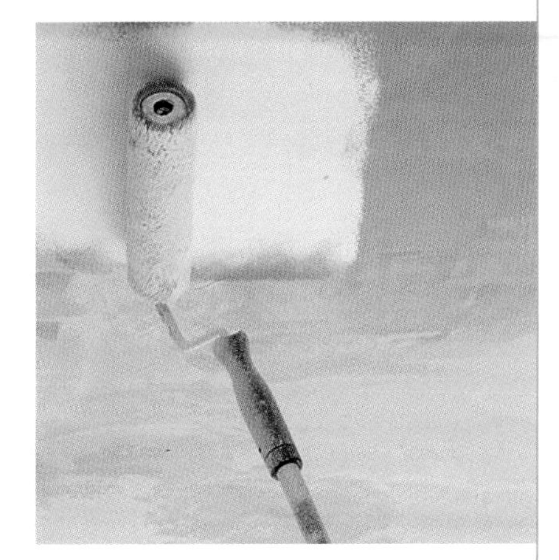

Les produits de finition transparents et semi-opaques qui permettent de traiter ou de colorer le bois sans dissimuler sa texture ni son aspect connaissent une popularité croissante.

CHOIX

Il existe un grand choix de cires, d'huiles, de couleurs et de vernis permettant de conserver l'apparence naturelle du bois ou de donner à un bois tendre bon marché une apparence plus « noble » – procédé à la fois économique et utile aux endroits où ce matériau risque de s'abîmer. D'autres produits permettent de teinter le bois à l'aide de couleurs vives tout en lui conservant sa texture particulière. Appliquez-les sur les meubles, les sols et les éléments architecturaux tels que les encadrements de portes et de fenêtres – en fait, sur toutes les surfaces qui peuvent être peintes.

Finition du bois

Cires et huiles

Les cires, qui contiennent des éléments tels que la cire d'abeille ou de carnauba sont les traitements traditionnels qui donnent au bois un fini naturel. Elles mettent en valeur l'aspect de ce matériau en soulignant sa texture et en lui donnant un doux brillant, tout en le protégeant des taches et des éraflures. Si le bois a été poncé ou décapé, il devient très absorbant ; appliquez alors un vernis dilué transparent au polyuréthane afin de modérer l'absorption de la cire, de faciliter son application et de donner une finition plus régulière. Nombre de cires modernes peuvent être appliquées au pinceau, dans le sens des fibres. Laissez sécher et faites briller avec un chiffon doux, en frottant également dans le sens des fibres.

Les cires teintées reproduisent l'aspect de certains bois ou redonnent leur apparence première à des bois décolorés. Si vous travaillez sur un bois neuf, appliquez la cire avec une fine laine d'acier, dans le sens des fibres. Laissez reposer 20 minutes, faites briller avec un chiffon doux puis appliquez une cire transparente pour obtenir une finition durable.

La patine est un produit apprécié qui donne au bois une apparence et un fini anciens. Elle est particulièrement efficace sur le chêne ou d'autres bois aux veines bien apparentes – vous pouvez légèrement accentuer les fibres en vous servant d'une brosse métallique ; appliquez-la avec un chiffon doux en travaillant toujours dans le sens des fibres et en la faisant bien pénétrer. Ôtez l'excès de produit, laissez sécher et appliquez une fine couche de cire transparente. Lorsque tout est sec, faites briller avec un chiffon doux.

Les huiles, telles que l'huile de teck, l'huile de tung et l'huile danoise, donnent au bois une finition naturelle qui, selon le cas, est résistante à l'eau ou à la chaleur. Appliquez une couche d'huile avec un chiffon, laissez imbiber avant de retirer l'excès de produit. Si la surface à recouvrir est importante, appliquez l'huile avec un pinceau puis ôtez l'excès avec un chiffon. Laissez reposer toute la nuit, et répétez l'opération.

Avant d'utiliser l'un de ces produits, lisez toujours très soigneusement les instructions figurant sur l'emballage.

Teintes et couleurs

Les teintes pour bois sont à base d'eau ou d'alcool. Les produits à l'alcool sont idéaux pour les bois tels que l'acajou ou le chêne, car ils pénètrent leurs fibres denses plus efficacement que les produits à l'eau. Le choix des couleurs disponibles dépend du fabricant, mais dans la plupart des cas les teintes d'une gamme particulière peuvent être mélangées, ce qui vous permet d'obtenir la nuance que vous désirez.

Certaines teintes à l'eau contiennent des résines acryliques qui réduisent le décollement des fibres. Elles pénètrent les bois tendres plus lentement que les couleurs ordinaires : il y a moins de risque de traces et d'irrégularité de couverture. Appliquez une deuxième couche si nécessaire.

Les couleurs pour bois, à base de pigments ou de teinte, ont plus tendance à décoller les fibres qu'un vernis coloré. Celles à base de teinte se révèlent particulièrement transparentes ; dans le passé, elles étaient réputées pour « passer » plus vite que celles à base de pigments, mais l'évolution technologique a permis la création de produits très stables.

Le bois doit être bien préparé avant l'application de la couleur qui ne dissimule pas les défauts comme la peinture. Ce travail préliminaire assure un résultat de qualité.

- Frottez le bois avec du papier de verre, puis essuyez-le avec un chiffon légèrement humide. Telle quelle, la surface risque d'absorber la teinte comme un papier buvard en donnant une finition irrégulière.
- Passez une fine couche de vernis transparent – vernis à l'eau avant une teinture à l'eau ; vernis à l'alcool avant une teinture à l'alcool (celui-ci doit être dilué de moitié avec le solvant approprié). Essayez la combinaison du vernis et de la teinte choisis sur une chute de bois.
- Une fois le vernis sec, appliquez la teinte à l'aide d'un chiffon, d'une éponge ou d'un pinceau en travaillant le plus rapidement possible mais avec régularité, pour éviter les traces. N'imbibez pas le support et ôtez immédiatement tout excès de produit avec un chiffon de coton propre. Le temps de séchage peut varier de 1 à 6 heures. En général, une seule couche suffit.

Toutes les teintes doivent être fixées et protégées une fois sèches. Vous pouvez utiliser du vernis, de la cire, de l'huile ou de la « gomme laque » selon l'aspect ou la solidité que vous désirez obtenir. Comme avec tous les produits, lisez soigneusement les instructions et assurez-vous que le produit fixateur et protecteur est compatible avec la teinture. Le résultat final peut se révéler très résistant.

If rustique | Pin naturel | Pin rustique

Vernis

Les vernis servent à fixer, protéger et colorer le bois.

Les « gommes-laques » traditionnels donnent un aspect et un brillant convenant aux bois et placages nobles. Ils constituent une base parfaite pour le polissage à la cire, mais ne résistent ni à l'humidité ni aux éraflures et tendent à jaunir au fil du temps.

Les vernis à l'huile, solides et résistants à l'eau, sont disponibles en satiné et en brillant.

Les vernis au polyuréthane, résistants et durables, ont tendance à couvrir davantage que les vernis à l'huile et donnent donc un aspect moins naturel. Idéaux pour des surfaces exposées à l'eau, à la chaleur, aux détergents ou à un usage fréquent – telles que les sols –, ils sont disponibles en mat, satiné et brillant.

Remarque : Les vernis à l'huile et au polyuréthane ont tendance à jaunir au soleil.

Les vernis acryliques à l'eau ne jaunissent pas, sont peu couvrants, très solides et existent dans de nombreuses teintes « bois ». Appliquez plusieurs couches fines (limitez vos coups de pinceau) et diluez la couche de finition de 5 % pour obtenir une consistance idéale donnant un fini bien lisse.

Les vernis colorés doivent tout d'abord être essayés sur un endroit peu visible de la surface à couvrir. Si vous obtenez un résultat irrégulier, passez sur tout le support un vernis au polyuréthane transparent dilué ou un vernis acrylique à l'eau transparent (qu'il n'est pas nécessaire de diluer). Lorsque le vernis transparent est sec, appliquez le vernis coloré, vous obtiendrez une finition très régulière.

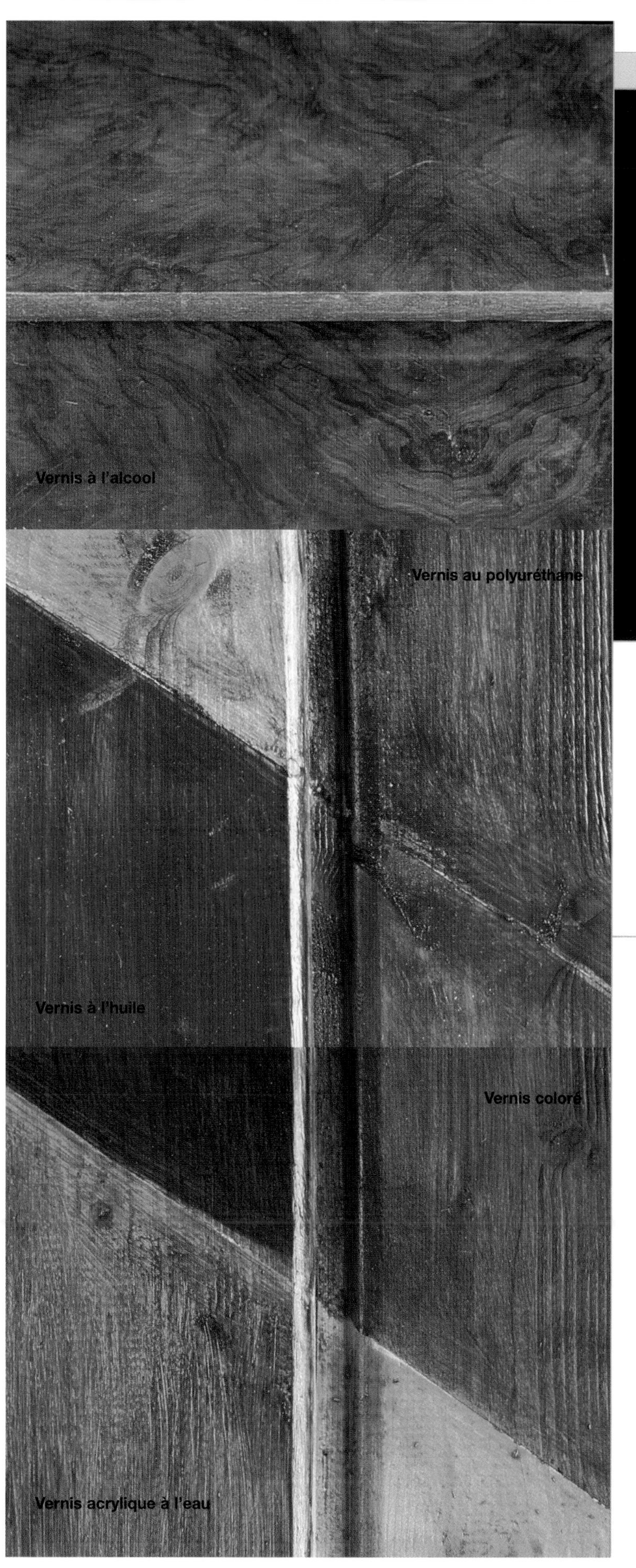

POINTS CLÉS

Préparez bien le bois afin d'obtenir un résultat satisfaisant.
Assurez-vous que le support est dépourvu de poussière avant de commencer le travail.
Les teintes à l'eau décollent légèrement les veines du bois.
Les teintes à l'alcool sont recommandées pour les bois nobles tels que le chêne et l'acajou.
Les teintes acryliques décollent moins le bois que les teintes à l'eau ordinaires.
Les bois teintés nécessitent une couche protectrice de vernis, de cire ou d'huile.

Truc

Les vernis acryliques sèchent vite et doivent donc être appliqués rapidement. Réfrigérez le pot avant l'application : le produit séchera moins vite et vous permettra d'obtenir un fini plus régulier.

Vous avez choisi le type de peinture que vous allez acheter et les couleurs que vous allez appliquer sur chaque mur. Vous pouvez maintenant calculer la quantité de produit qu'il vous faut.

QUELLE QUANTITÉ ACHETER ?

Calculer la quantité de peinture qu'il vous faut pour une tâche particulière est facile une fois que vous connaissez le pouvoir couvrant du produit – il s'agit de la surface recouverte par un litre de peinture dans des conditions normales. Cette information figure sur le pot ou sur les brochures des fabricants. Commencez par faire un tableau, ce qui vous aidera à garder une trace de vos calculs.

Estimations

des quantités nécessaires

Prévoyez « large »

Le calcul de la quantité de peinture nécessaire est approximatif, car il dépend de nombre de « si » et de « mais ». Par exemple, sans couche d'impression ou de fixation, le support, s'il est plus poreux que prévu, vous fait utiliser davantage de produit que la quantité suggérée par le fabricant. Vous pouvez également décider de passer une couche supplémentaire si les couches précédentes ont été mal appliquées ou si vous n'avez pas obtenu la finition désirée. L'estimation vous donne toutefois une bonne idée de la quantité requise et du coût approximatif de votre travail ; mieux vaut acheter trop de peinture que se trouver à court de produit alors qu'il ne reste qu'une petite surface à couvrir : le surplus pourra vous servir ensuite si vous avez besoin de faire des raccords. Les pots inutilisés – non ouverts – peuvent être rapportés au magasin et remboursés, sauf s'ils ont été mélangés spécialement pour vous.

Faites un tableau

Il vous faut un mètre ruban, un crayon ou stylo, un morceau de papier et une calculatrice.

1 Énumérez les surfaces pour lesquelles vous allez utiliser la même peinture.
2 Mesurez la longueur et la largeur de chaque surface et notez-les dans votre tableau sans en soustraire les plinthes, portes et fenêtres. Certaines personnes recommandent de compter ces éléments séparément et de les déduire de la surface des murs, mais il est préférable de simplifier les calculs ; en outre, la quantité de peinture supplémentaire vous permet de pallier des erreurs, des oublis ou de faire des raccords ultérieurs.
3 Décidez combien de couches vous désirez appliquer et notez-les dans le tableau.
4 Multipliez la longueur par la largeur et par le nombre de couches pour trouver la surface totale de peinture requise.
5 Répétez l'opération pour chacune des surfaces et insérez les chiffres dans le tableau.
6 Insérez le pouvoir couvrant par litre dans le tableau (indiqué sur le pot de peinture ou sur les brochures du fabricant).
7 Divisez la surface de chaque zone par le pouvoir couvrant.
8 Faites la somme des nombres obtenus pour chaque surface : vous trouvez la quantité totale de peinture nécessaire.

Pour des surfaces complexes telles que les couloirs, utilisez exactement la même méthode de calcul. Mesurez chaque section de mur séparément sans soustraire les portes, faites le calcul pour chacune d'entre elles et additionnez-les pour en faire le total.

POINTS CLÉS

Le pouvoir couvrant est indispensable pour calculer la quantité de peinture nécessaire.
Soyez méthodique : Prenez soigneusement les mesures, vérifiez vos calculs et faites un tableau, ce qui vous évitera d'oublier une section ou de prévoir la deuxième couche à certains endroits.
En cas de doute achetez un pot supplémentaire ; il n'y a rien de plus frustrant que d'être « à court ».
Incluez les portes et fenêtres dans vos calculs relatifs aux murs ce qui vous permettra de rectifier des erreurs ou de faire des retouches.
La peinture à l'eau est disponible en pots de 2,5, 5 ou 10 litres. La peinture à l'huile, en pots de 75 cl à 5 litres.
Les vernis sont vendus dans des pots de 25 cl à 2,5 litres.

Exemple de tableau d'estimation

Dans cet exemple, le plafond sera peint avec une émulsion vinylique mate, dont le pouvoir couvrant est de 12 m² par litre, tandis que les murs seront recouverts d'une peinture acrylique universelle au rendement de 10 m² par litre.

Surface	**Longueur (A)**	**Largeur (B)**	**Nombre de couches (C)**	**Surface en m² (D) A x B x C = D**	**Pouvoir couvrant, m²/litres (E)**	**Nombre de litres nécessaires (D divisé par E)**
Plafond	3 m	2 m	2	12 m²	12 m²/l	1 l
						Total plafond : 1 l

Surface	**Longueur (A)**	**Hauteur (B)**	**Nombre de couches (C)**	**Surface en m² (D) A x B x C = D**	**Pouvoir couvrant m²/l (E)**	**Nombre de litres nécessaires (D divisé par E)**
Mur 1	3 m	3 m	2	18 m²	10 m²/l	1,8 l
Mur 2	3 m	3 m	2	18 m²	10 m²/l	1,8 l
Mur 3	2 m	3 m	2	12 m²	10 m²/l	1,2 l
Mur 4	2 m	3 m	2	12 m²	10 m²/l	1,2 l
						Total murs : 6 l

Par conséquent, si le pouvoir couvrant indiqué par le fabricant est exact, 1 litre d'émulsion vinylique mate permet de passer deux couches sur le plafond, et 6 litres de peinture acrylique universelle suffisent pour deux couches sur les murs. Les portes et fenêtres ayant été incluses dans les calculs, il restera de la peinture pour rectifier d'éventuelles maladresses et effectuer des retouches, le cas échéant.

Des accidents peuvent vite arriver même aux plus chevronnés ; afin de les éviter, lisez bien les instructions des fabricants, prenez votre temps, nettoyez votre chantier au fur et à mesure de votre progression et écoutez votre bon sens.

Travaillez sans danger

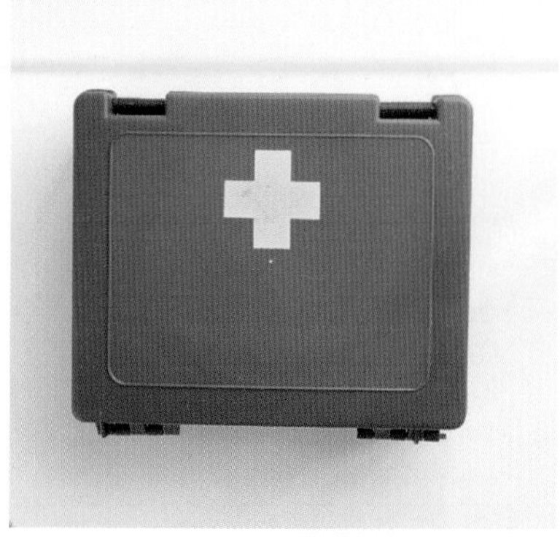

Organisez-vous et ne laissez rien traîner. Écartez les enfants et les animaux de la pièce pour leur sécurité et la vôtre. Réservez un endroit au rangement de vos pots, récipients et accessoires – un panneau d'Isorel ou de contreplaqué peut rassembler le matériel et être déplacé au fur et à mesure de votre progression. N'encombrez pas l'endroit où vous travaillez et prenez le temps de ranger à la fin de chaque séance. Remettez les accessoires à leur place, balayez la poussière et les débris, mettez-les dans un sac et jetez-les. Nettoyez rapidement les éclaboussures et débarrassez-vous des chiffons sales. Fermez bien les pots et autres récipients lorsque vous ne les utilisez pas. Assurez-vous qu'aucun câble ne traîne sur le sol. Ayez toujours à portée de main une trousse de premiers secours bien garnie.

Santé et sécurité

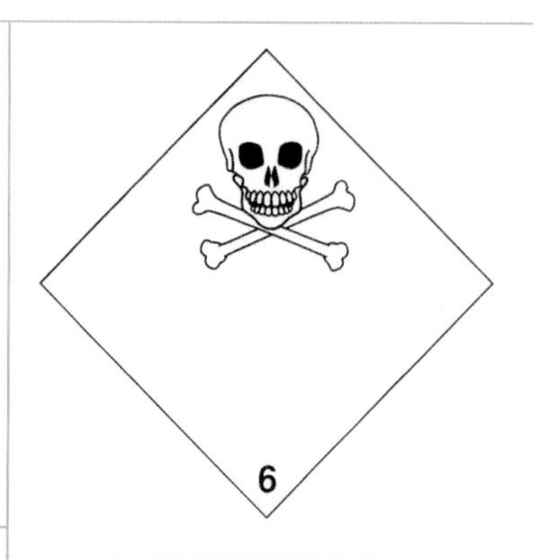

Lisez les étiquettes

Nombre de produits contiennent des composants chimiques pouvant être dangereux si les règles d'utilisation ne sont pas respectées : les solvants employés dans la peinture à l'huile sont inflammables et leurs émanations, si elles sont inhalées, peuvent causer des troubles divers. Aujourd'hui, grâce aux peintures à l'eau, les problèmes de santé et de sécurité associés au travail de décoration sont considérablement réduits.

Les fabricants sont tenus de fournir des informations claires à leurs clients. Les paragraphes relatifs aux dangers éventuels, parfois appuyés par un pictogramme, énumèrent les risques principaux associés au produit et les précautions à prendre, pouvant aller du port d'un masque ou de vêtements protecteurs à l'ouverture de fenêtres et de portes pour assurer une bonne ventilation ; parfois, ils expliquent également ce qu'il faut faire en cas d'accident ou d'éclaboussures et indiquent comment se débarrasser des déchets. Lisez soigneusement ces indications avant de commencer votre travail et nettoyez toujours l'extérieur du pot de peinture afin que les instructions restent bien lisibles.

Toxique

Certaines peintures ou autres produits utilisés en décoration sont toxiques s'ils sont ingérés. Fermez bien les pots ou bouteilles et rangez-les hors de portée des enfants et des animaux. Lisez les instructions de premiers secours avant d'ouvrir et d'employer le produit. En cas d'ingestion accidentelle, suivez les instructions et consultez immédiatement un médecin.

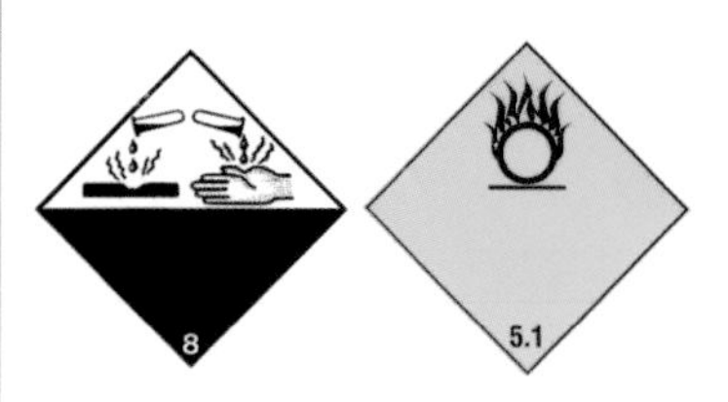

Outils électriques

Les outils électriques, tels que les ponceuses et les perceuses, sont dangereux et peuvent causer des blessures graves. Lisez toujours les instructions pour être sûr de manier correctement des appareils que vous avez loués ou achetés, et veillez à ne jamais les utiliser avec les mains humides. Protégez vos yeux avec des lunettes de sécurité (en plastique et non en verre) et si l'outil employé produit de la poussière, portez un masque. N'ayez jamais recours à ce type d'appareil dans un moment de fatigue et prenez toutes précautions pour ne pas couper de câbles électriques accidentellement ; éteignez et débranchez-le dès que vous avez terminé votre travail et rangez-le dans un placard bien fermé, hors de portée des enfants.

Matériaux inflammables ou combustibles

Certaines peintures contiennent des composants inflammables qui font l'objet d'un avertissement. Suivez les instructions du fabricant et prenez les précautions suivantes : ouvrez toutes les portes et fenêtres pour que les émanations se dissipent ; ne fumez pas et ne permettez pas que l'on fume près de vous ; éliminez toutes les sources de flammes et d'étincelles (attention aux appareils électriques qui en produisent) ; éteignez les veilleuses des cuisinières et chauffe-eau en coupant l'arrivée du gaz et ne les rallumez qu'après dispersion des exhalaisons.

Peinture au solvant

Quand vous utilisez des produits à base de solvants, suivez les instructions. Ouvrez portes et fenêtres pour améliorer la ventilation – lorsqu'elle est insuffisante, utilisez un respirateur en vérifiant qu'il est conçu dans ce but : un masque ordinaire ne suffit pas. Protégez-vous des éclaboussures en portant des manches longues, un pantalon, des lunettes et des gants appropriés ; si elles atteignent votre peau, lavez-les avec de l'eau et du savon et rincez abondamment. En cas de nausées ou d'étourdissements, quittez la pièce et inspirez de l'air frais ; si les symptômes persistent, consultez un médecin.

Que faire des déchets ?

Les déchets de peinture doivent faire l'objet de précautions particulières.

- Petites quantités de peinture à l'eau : remplissez à moitié un sac-poubelle de sciure de bois ou de litière à chat et versez-y la peinture, fermez le sac et jetez-le dans votre poubelle. Ou bien trouvez un endroit hors de portée des enfants et des animaux, ôtez le couvercle du pot et laissez la peinture sécher, puis jetez le récipient avec vos ordures.
- Quantités plus importantes ou peintures au solvant : demandez auprès de votre commune la marche à suivre. Jetez vos pots de métal en fonction du tri sélectif ou portez-les à la déchèterie.
- S'il vous reste une quantité raisonnable de peinture utilisable, donnez-la à des associations caritatives ou à des communautés qui pourront l'utiliser ou en tirer un bénéfice.

Travail avec un escabeau

Assurez-vous que votre escabeau est stable ; s'il est bancal, changez-le. Vérifiez l'écartement des pieds à l'installation. Tenez-vous lorsque vous montez ; portez vos outils dans votre poche ou sur une ceinture afin de garder les mains libres ; travaillez dans une position confortable, sans avoir besoin de trop étendre les membres et déplacez-vous à intervalles réguliers.

POINTS CLÉS

Prenez votre temps : la hâte entraîne des accidents.
Lisez les instructions et respectez-les.
Attention si vous travaillez en hauteur : utilisez un escabeau stable aux pieds bien écartés garnis de patins antidérapants.
Travaillez confortablement et déplacez l'escabeau à intervalles réguliers.
Les déchets doivent être éliminés avec précaution : renseignez-vous auprès de votre commune.
Les appareils électriques ne doivent jamais être employés dans des moments de fatigue.
Ne les utilisez pas avec des mains humides.

Peinture au plomb

La poussière ou les émanations de plomb sont dangereuses pour la santé. Dans les années 1960 et jusqu'au début des années 1980, cet élément était utilisé dans des pigments teintant la peinture à l'huile employée sur des portes, fenêtres, plinthes et radiateurs. Si votre logement a été construit pendant cette période et qu'il comporte des peintures d'origine, ou si l'épaisseur de la peinture est importante, vérifiez l'absence de plomb. Les produits plus récents n'en contiennent pas, vous n'avez donc aucun souci à vous faire si votre habitation l'est également. De même, si votre intérieur ancien a été peint récemment, la peinture appliquée a probablement fixé le plomb.

Si vous désirez décaper un support recouvert de peinture ancienne ou si une peinture ancienne s'abîme, s'écaille, risque d'être mâchée par des enfants et grattée par des animaux, de la poussière de plomb risque de se dégager. Vous pouvez faire vérifier la présence du métal, mais le procédé le plus commode pour éviter ces inconvénients consiste à recouvrir les murs de couches de peinture moderne.

S'il vous faut éliminer de la peinture contenant du plomb, faites appel à une entreprise spécialisée dont vous pouvez trouver les coordonnées dans les Pages jaunes ou en vous adressant au ministère de l'Écologie et du Développement durable, dont vous pouvez consulter le site Internet : www.environnement.gouv.fr.

Vous pouvez également obtenir tous les renseignements et contacts nécessaires auprès de la mairie de votre domicile.

La couleur produit un effet magique. Elle peut vous stimuler ou vous apaiser ; agrandir une petite pièce ou conférer un caractère intime à un espace trop vaste ; ressusciter une époque précise ou exercer bien d'autres influences…

APPRENDRE À MAÎTRISER LA COULEUR

La plupart des gens, effrayés par la couleur, ont recours à des « valeurs sûres » afin d'éviter de « se tromper ». Cette attitude est regrettable car le fait de vivre entouré de teintes que l'on aime procure un plaisir quotidien. Bien que les harmonies neutres soient recommandées lorsque vous désirez vendre votre maison, vous n'avez aucune raison de vous restreindre quand vous n'avez pas besoin d'attirer un acheteur potentiel. Si vous n'arrivez pas à trouver la couleur que vous désirez dans les peintures toutes prêtes, prenez simplement un échantillon de cette nuance – un morceau de tissu, une photographie de magazine, un emballage de produit alimentaire – et donnez-le à votre marchand de peinture qui va effectuer le mélange approprié et en conserver la formule afin de pouvoir de nouveau en fabriquer pour vous en cas de besoin. Il est toutefois conseillé d'acheter la quantité désirée en une seule fois, afin d'éviter de légères différences d'intensité de couleur.

Couleur et décoration

Il est beaucoup plus facile d'apprendre à maîtriser les couleurs si l'on comprend les termes qui servent à les désigner ou à décrire les relations qui s'établissent entre elles. La roue chromatique de la page suivante est un moyen simple d'illustrer quelques-uns de ces rapports les plus élémentaires.

- La roue montre les trois couleurs primaires : le rouge, le jaune et le bleu. Elles jouent un rôle unique sur la palette du peintre, car elles ne peuvent être obtenues par un mélange d'autres couleurs.
- Entre les couleurs primaires, figurent les couleurs secondaires – orange, vert et violet –, qui résultent du mélange des couleurs primaires adjacentes.
- Entre chaque paire primaire et secondaire, figurent des couleurs intermédiaires – tons bleu-vert, jaune-vert, mauve – qui sont les couleurs tertiaires.

Toutes ces couleurs sont « pures », c'est-à-dire qu'elles ne contiennent pas de gris et ne sont composées que de deux couleurs primaires : dès que vous ajoutez la troisième couleur primaire, vous « grisez » ou neutralisez le mélange. Ces couleurs « neutres » ou légèrement « atténuées » jouent un rôle très important sur le nuancier du décorateur.

Le cercle chromatique

Cette roue de 12 couleurs montre les couleurs primaires, secondaires et tertiaires, qui sont toutes « pures ». D'un côté figurent les couleurs froides – bleus et verts ; de l'autre, les couleurs « chaudes » – rouges, jaunes et oranges.

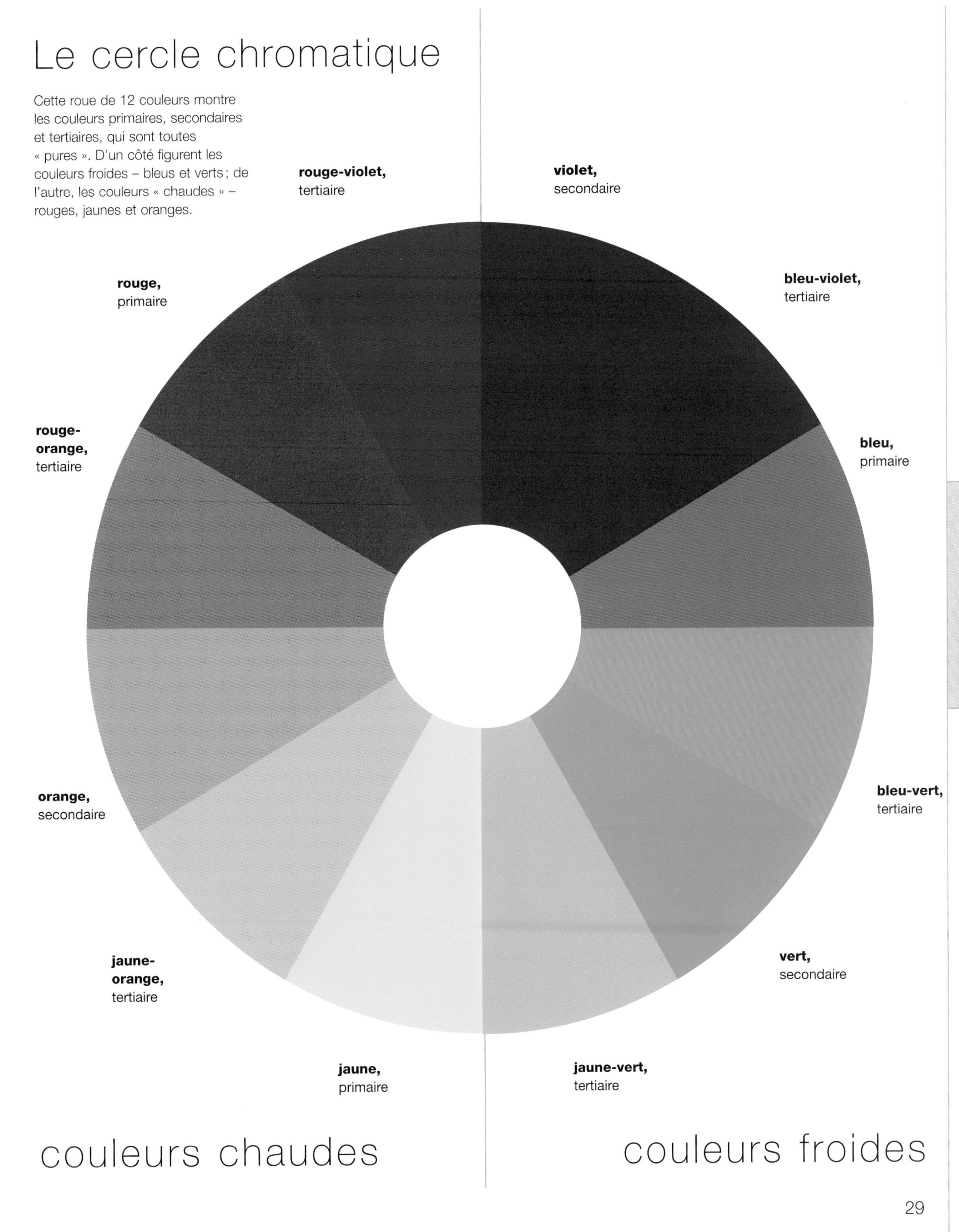

Paires complémentaires

Les deux couleurs de chaque paire figurent à l'opposé l'une de l'autre sur la roue. Les paires primaires sont les plus faciles à mémoriser : rouge/vert ; bleu/orange ; jaune/violet – remarquez qu'une couleur primaire est associée à une couleur secondaire. Ces harmonies, particulièrement intéressantes, peuvent être avantageusement exploitées par les décorateurs : les deux couleurs placées côte à côte se mettent mutuellement en valeur. Ainsi, une touche de rouge va « éclater » sur un fond vert. De même, le bleu associé à l'orange ou le jaune associé au violet créent des effets saisissants : par exemple, quelques touches d'orange suffisent à donner de la vigueur à une pièce bleue un peu trop terne ou uniforme.

Un autre aspect intéressant des paires complémentaires est leur capacité à se neutraliser lorsque les deux couleurs sont mélangées, caractéristique exploitée par les décorateurs. Une couleur vive est atténuée lorsqu'on lui incorpore un peu de sa couleur complémentaire – ou presque complémentaire : une touche de rouge mélangée au vert rend celui-ci moins agressif.

Couleurs harmonieuses

Les couleurs appartenant au même secteur sur la roue, par exemple celles situées entre deux couleurs primaires telles que le rouge et le jaune, s'harmonisent naturellement. Le jaune, l'orange, le mandarine et le capucine « vont bien ensemble » car elles contiennent toutes un peu des primaires « parentes » qu'il s'agisse des nuances claires ou foncées de ces couleurs.

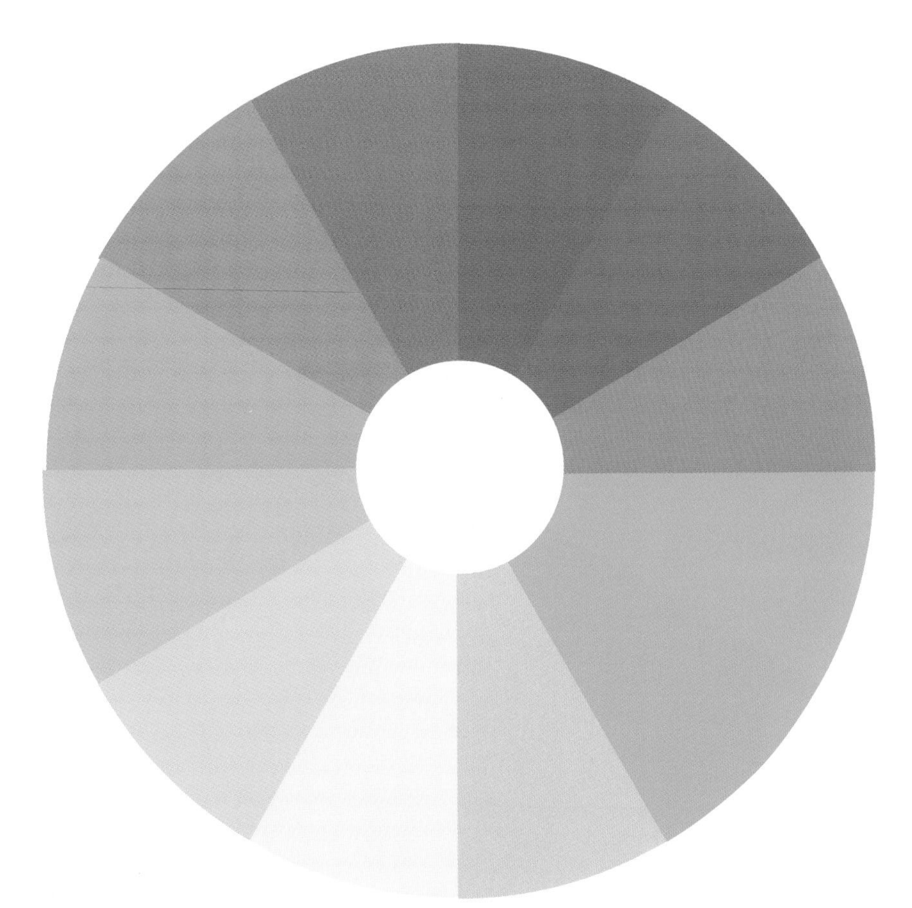

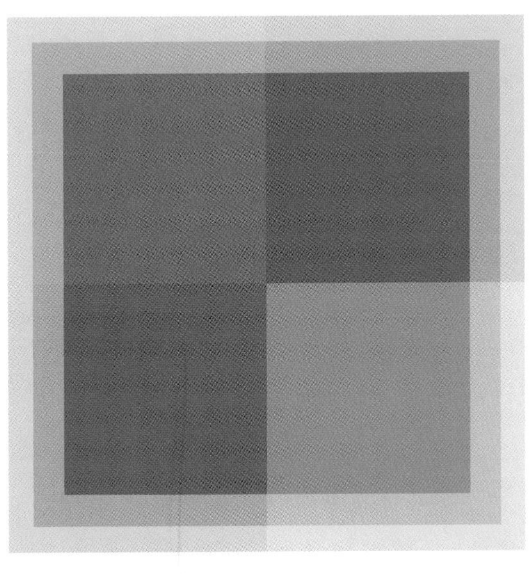

Un décor trop harmonieux peut se révéler insipide et ennuyeux. Pour éviter cet écueil, introduisez une touche de couleur contrastée, par exemple un rose vif au sein d'une harmonie de verts ou un violet au milieu de jaunes.

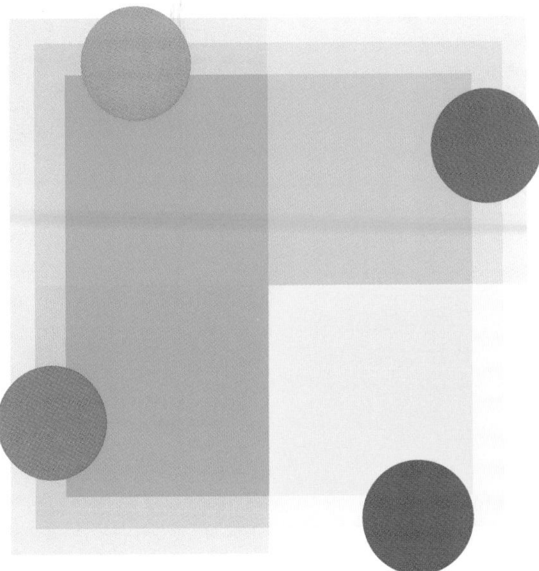

Le choix des couleurs

Un choix immense se présente à nous lorsqu'il s'agit de sélectionner les couleurs de notre intérieur, mais trop d'abondance peut avoir un effet paralysant. Essayez de trouver un point de départ pour l'élaboration de votre décor : ce peut être un objet – un meuble favori, un tableau ou un tapis, par exemple. Cherchez l'inspiration dans les magasins, les revues, les maisons de vos amis, les restaurants, partout où quelque chose vous accroche l'œil. La date de construction de votre maison peut également servir de point de départ à votre réflexion. L'époque victorienne était riche en couleurs ; les années trente plébiscitaient le crème et les détails noirs ; les années cinquante et soixante regorgeaient de couleurs vives, en réaction à l'austérité de la guerre. Nombre de fabricants et de magasins de peinture proposent des couleurs d'époque. Pendant vos vacances, observez les harmonies qui se dessinent autour de vous : jardin fleuri aperçu à travers une fenêtre, galets aux diverses nuances de gris. Ouvrez grands les yeux où que vous alliez : les idées commenceront à germer.

L'étape suivante consiste à choisir vos **harmonies de couleurs**. Plusieurs procédés sont à votre disposition : collez des échantillons dans un album, classez-les dans une boîte ou procédez comme les professionnels en constituant un nuancier. Il s'agit simplement d'une planche composée d'échantillons de peinture, de petites pièces de tissu ou de morceaux de papier découpés dans des magazines – en fait de tous les éléments se rapprochant des teintes et des textures que vous recherchez. Procurez-vous autant d'échantillons de peinture que possible (les plus courants sont disponibles dans les magasins de bricolage) ; faites-vous adresser ceux des fabricants de peintures anciennes ou écologiques (proposés dans les petites annonces à la fin des magazines de décoration). Consultez aussi Internet, excellente source d'informations. Plus votre nuancier s'enrichit, mieux vous percevez la façon dont les différents éléments s'accordent. Jouez avec vos idées jusqu'à entière satisfaction : mieux vaut prendre le temps de réfléchir que de se précipiter et d'être déçu du résultat.

Un nuancier permet d'illustrer vos idées. Ici, le crème met en valeur les bruns. La palette limitée de couleurs naturelles donne aux textures et aux formes un rôle de premier plan.

Éclairage et couleurs

L'orientation d'une pièce et la nature de son éclairage sont importantes lorsqu'il s'agit de choisir une harmonie de couleurs.

Orientées au nord, les fenêtres donnent une lumière bleuâtre. Afin de ne pas renforcer cet effet, rejetez les couleurs froides ou les versions froides de couleurs chaudes, comme le jaune citron. Contrebalancez le bleu à l'aide d'une palette basée sur l'orange, le rouge, le rose et l'ocre brun.
Orientées au sud, les pièces reçoivent toute la journée une chaude lumière orange que vous pouvez équilibrer à l'aide d'une palette claire aux nuances bleues et lilas, où le jaune citron trouve sa place.
Orientées à l'est, les pièces reçoivent une lumière chaude le matin, et orientées à l'ouest, une lumière chaude l'après-midi.

L'éclairage artificiel a également une influence sur l'atmosphère d'une pièce et sur les couleurs.
L'éclairage halogène, donne aux couleurs le même aspect que la lumière naturelle, dont il est proche.
Les ampoules traditionnelles au tungstène donnent une lumière chaude et jaune qui a tendance à griser les nuances lilas et à modifier certains bleus.
Les tubes fluorescents sont disponibles en plusieurs teintes allant d'un blanc froid et bleuâtre à un blanc rosé voire jaunâtre (champagne).

Préparez un nuancier

Ne commettez pas l'erreur de choisir une couleur en plaçant un petit morceau de papier contre le mur. Achetez des pots échantillons et appliquez la peinture sur des bandes de papier ou des morceaux de carton d'au moins 40 cm de côté, sur lesquels vous pouvez inscrire le nom de la couleur et du fournisseur afin d'éviter les confusions ; épinglez-les ensuite autour de la pièce, près du papier peint ou du tissu que vous associerez à la teinte choisie. Il est important d'examiner les couleurs à différents moments de la journée, comme à la lumière naturelle et artificielle. Déplacez les échantillons pour juger de l'effet produit en plein soleil et à l'ombre : les couleurs varient considérablement sous des éclairages différents.

Éclairage naturel

Éclairage artificiel

TERMES CLÉS

Accent de couleur Petite touche de couleur en contraste avec la gamme dominante. Utilisée pour attirer l'œil et varier le décor.
Couleurs qui tassent Couleurs chaudes ou sombres qui semblent rapetisser une pièce.
Couleurs complémentaires Elles apparaissent à l'opposé les unes des autres sur la roue chromatique. Juxtaposées, elles se mettent en valeur; mélangées, elles se neutralisent.
Couleurs froides Bleus, verts et certains jaunes et violets sur la roue chromatique.
Couleurs harmonieuses Qui « vont » ensemble. Celles qui sont dans le même secteur de la roue chromatique, ainsi que les couleurs de ton similaires – neutres et pastel.
Couleur atténuée Couleur rendue moins intense par l'ajout d'une autre couleur.
Palette limitée Choix réduit de couleurs sur lequel il est plus facile de travailler que sur une gamme plus étendue.
Couleurs neutres N'apparaissent pas sur la roue chromatique – noir, blanc, gris, bruns et beiges.
Palette Plaque sur laquelle le peintre mélange ses couleurs : choix de couleurs.
Couleurs primaires Rouge, jaune et bleu.
Couleurs qui élargissent Couleurs froides ou claires qui semblent agrandir une pièce.
Couleurs secondaires Dérivées des couleurs primaires : rouge + jaune = orange ; jaune + bleu = vert ; rouge + bleu = violet.
Couleurs tertiaires Mélange à quantité égale d'une secondaire et de la primaire adjacente. Sur la roue chromatique, il y a une tertiaire entre chaque primaire et secondaire.
Teinte Couleur mélangée de blanc. Teintes pastel, par exemple.
Ton Nuance claire ou foncée d'une couleur : le blanc et le noir sont les deux tons extrêmes.
Couleurs chaudes Rouge, orange et nuances chaudes de jaune et de violet sur la roue chromatique.

ÉQUIPEMENT ET PINCEAUX

Les peintres utilisent des pinceaux depuis des siècles pour une raison évidente : ils sont les outils les plus commodes et les mieux adaptés à l'application de la peinture, du vernis et des teintes. Il est donc important de choisir un pinceau de la meilleure qualité possible et adapté à vos tâches afin d'obtenir un bon résultat. La peinture peut également être appliquée au rouleau, au tampon, au pistolet ou à la bombe. La technique que vous allez choisir dépend de nombreux facteurs et surtout de votre goût – certaines personnes jurent par les tampons, d'autres les détestent. Il n'y a pas de bonne et de mauvaise façon d'entreprendre un travail de peinture : il y a celle qui vous convient et permet d'obtenir l'effet désiré. Selon un dicton, « un mauvais ouvrier a de mauvais outils » ; ce n'est pas toujours vrai, mais le fait d'être en possession de bons outils rend le labeur infiniment plus agréable.

Le bon pinceau – « brosse » pour les « pros » – qui rend l'application de la peinture plus facile et assure une belle finition, est celui dont les matériaux, la taille et la forme correspondent au travail à effectuer. Constitué de soies solides, il donne un film épais et uniforme.

TYPES DE BROSSES

Brosse plate ou brosse à vernis
Disponible en différentes largeurs – 25, 35, 50, 75 et 100 mm – et pourvue de poils naturels ou synthétiques, elle sert à appliquer de la peinture ou du vernis sur des encadrements, des portes et des murs.

Brosse plate murale
Disponible en 100, 125, 150 et 175 mm de largeur, ce pinceau sert à appliquer de la peinture sur de grandes surfaces telles que des murs et des plafonds. Les émulsions réclament des brosses synthétiques.

Choisissez vos pinceaux

Soies et poils naturels

Les brosses naturelles sont fabriquées avec des soies provenant de sangliers sauvages de Chine et d'Inde, ou encore avec des poils de martre ou de chameau. L'extrémité de ces longues fibres hérissées et solides est légèrement fendue, ce qui leur donne de la douceur. Naturellement dentelées, elles recueillent une grande quantité de peinture et ne s'agglomèrent pas au cours du travail. La courbe naturelle du pinceau donne à l'ensemble des fibres l'aspect d'une brosse effilée. Certains pinceaux sont constitués de crins de cheval qui peuvent être mécaniquement fendus ou amollis et qui, mélangés à d'autres poils naturels, donnent un accessoire meilleur marché et plus doux. Utilisez des pinceaux en soies de porc, ou en poils de martre et de chameau uniquement pour les peintures à l'huile. Les fibres naturelles, qui absorbent l'eau contenue dans les produits à l'eau, se déforment à leur contact.

Blaireau
Pinceau à virole ronde de 3 à 20 mm de diamètre – les blaireaux plats correspondants ont de 5 à 28 mm de largeur. Ces brosses servent à peindre des détails tels que les petits bois des fenêtres.

Brosse à réchampir
Pinceau en poils naturels existant en plusieurs tailles, que sa forme ronde et son extrémité effilée rendent très souple. Il sert à peindre des détails de moulures, par exemple.

Brosse à tête biseautée
Brosse à réchampir ayant le même usage que les brosses rondes effilées : elle sert à tracer des lisières bien droites.

Brosse à radiateur
En poils naturels, elle permet de peindre derrière les radiateurs et les tuyaux.

TERMES CLÉS

Soies et poils naturels : utilisez ces pinceaux pour les peintures à l'huile. Ils absorbent l'eau et se déforment lorsqu'ils sont utilisés avec de la peinture à l'eau.
Poils synthétiques : servent à la peinture à l'eau.
Un blaireau est un pinceau en poils naturels de moindre qualité mais souple, dont la virole s'effile souvent vers le manche. À l'origine, c'était un outil de peintre d'enseignes, garni de poils de blaireau, animal auquel il doit son nom.

Soies synthétiques

Divers matériaux synthétiques sont utilisés pour fabriquer des pinceaux. Ils peuvent être effilés et amollis mais, dépourvus des dentelures des fibres naturelles, ils retiennent, en général, moins bien la peinture. Très souples, les pinceaux synthétiques ne se déforment pas et résistent à nombre de produits chimiques. Utilisez-les avec les peintures et teintes à l'eau – quelques-uns d'entre eux sont recommandés pour des peintures à l'huile et certains produits de finition à l'eau.

Truc

Le pinceau est l'instrument qui s'adapte le mieux à l'application de la peinture, du vernis ou des teintes. Ne lésinez pas sur sa qualité. Vous pouvez trouver d'excellents pinceaux en promotion : employez-les pour les premières couches afin de voir s'ils se manient bien et s'ils ne perdent pas leurs poils.

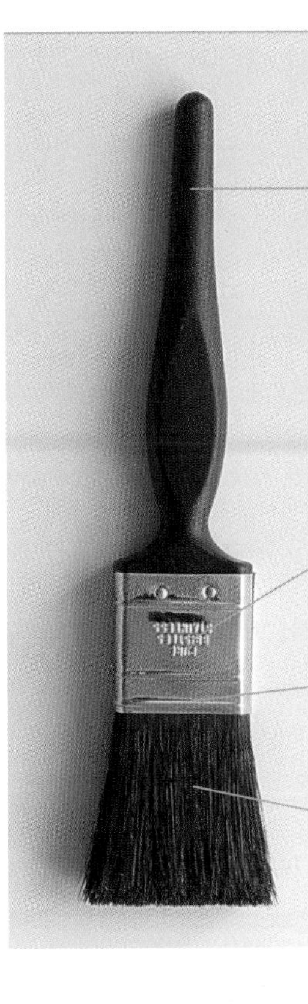

Composition d'une brosse

Une brosse est constituée de quatre parties.

- **Manche** Traditionnellement en bois (hêtre, frêne ou orme), il est recouvert d'un vernis qui le rend imperméable à l'eau et aux solvants, et facile à nettoyer. Nombre de pinceaux actuels ont des manches en matériaux synthétiques. Le manche idéal est lisse, agréable à tenir et capable d'équilibrer le poids des poils chargés de peinture.
- **Virole** Bague de métal qui prolonge le manche pour y fixer les poils.
- **Fixateur** Colle qui maintient les poils ensemble : il s'agit d'une résine synthétique ou de caoutchouc vulcanisé.
- **Soies ou poils** Ils recueillent la peinture et servent à l'application : soies naturelles ou synthétiques ; fibres mélangées.

Choisissez le pinceau adéquat

Plafonds Surface : brosses de 100 à 150 mm ; contour des plafonniers et lisières : brosses de 25 à 50 mm.
Murs Grandes surfaces : brosses de 100 à 150 mm ; lisières, plinthes, et contour des prises électriques : brosses de 25 à 50 mm.
Grandes surfaces de bois Portes encastrées, rayonnages, appuis de fenêtres, grandes plinthes : brosses de 50 à 75 mm pour remplissage ; de 25 mm pour lisières et bordures.
Petites surfaces de bois Petites plinthes, encadrements de portes et fenêtres, moulures de portes : brosses de 25 à 40 mm.
Fenêtres Utilisez les pinceaux de largeur inférieure ou égale à 25 mm, selon la taille et les détails de la fenêtre.

Les brosses sont des outils importants dont il faut prendre soin. Ces accessoires de qualité, bien utilisés et entretenus, vous accompagneront, tels de vieux amis, dans de nombreux travaux décoratifs.

NETTOYAGE

Nettoyez au fur et à mesure

Il est conseillé de rafraîchir les brosses en les nettoyant au fur et à mesure de votre travail, ce qui leur évitera de s'engorger de peinture et de devenir difficiles à utiliser. Ayez à portée de main un petit récipient de diluant (produit dans lequel la peinture est soluble) – white-spirit ou térébenthine pour les peintures à l'huile, eau pour celles à l'eau. Préparez également un récipient de produit nettoyant.

- Retirez l'excès de peinture en pressant la brosse sur le rebord du seau.
- Trempez la brosse dans le diluant (white-spirit ou eau). Appuyez les poils sur les parois pour ôter la peinture.
- Trempez la brosse dans un récipient de produit nettoyant et frottez les poils contre les parois.
- Rincez la brosse à l'eau courante froide.
- Éliminez l'excès d'eau en tordant les fibres ou en les essuyant sur du tissu ou du papier essuie-tout. Vous pouvez maintenant continuer à peindre. Commencez par tremper l'extrémité des poils dans le diluant ce qui leur évitera de s'agglomérer une fois chargés de peinture.

Prenez soin de vos brosses

Quand la peinture est terminée

À la fin d'une séance de peinture, procédez comme indiqué ci-dessus, mais :

- Rincez la brosse à l'eau tiède plutôt qu'à l'eau froide ;
- Ajoutez un soupçon de lessive à de l'eau tiède propre pour nettoyer la brosse – n'utilisez pas d'eau trop chaude, surtout avec les pinceaux synthétiques.
- Frottez doucement les poils avec vos doigts afin d'en chasser toute trace de peinture.
- Éliminez l'excès d'humidité avec un linge propre et sec.

Truc

Pour sécher un pinceau, prenez le manche entre vos paumes que vous frottez l'une contre l'autre afin de le faire pivoter.

Un coup de neuf !

Voici comment restaurer une brosse maculée de peinture à l'huile ou à base de solvants :

1 Si les poils sont agglomérés par de la peinture sèche, trempez-les dans un produit de nettoyage de pinceaux universel jusqu'au-dessus de la virole. Suivez les instructions du fabricant pour la durée du trempage. Utilisez un récipient de métal ou de plastique spécial pour la peinture – le produit fait fondre le plastique ordinaire.

2 Sortez la brosse du liquide, et appuyez-la contre les parois du récipient pour en faire sortir la plus grande partie du produit.

3 Lavez la brosse à l'eau froide en utilisant une brosse en chiendent ou à fibres de nylon pour éliminer la peinture ramollie par le trempage. Travaillez de la virole à l'extrémité des poils. S'il reste de la peinture durcie, remettez le pinceau à tremper.

4 Lorsque toute la peinture a été éliminée, trempez et frottez la brosse dans du white-spirit.

5 Lavez la brosse à l'eau tiède avec un peu de lessive et rincez soigneusement.

6 Enfin, pressez les poils sur un mur ou un morceau de bois pour en éliminer l'excès de liquide et frottez-les avec un torchon ou un essuie-tout. Votre brosse est de nouveau prête à l'usage.

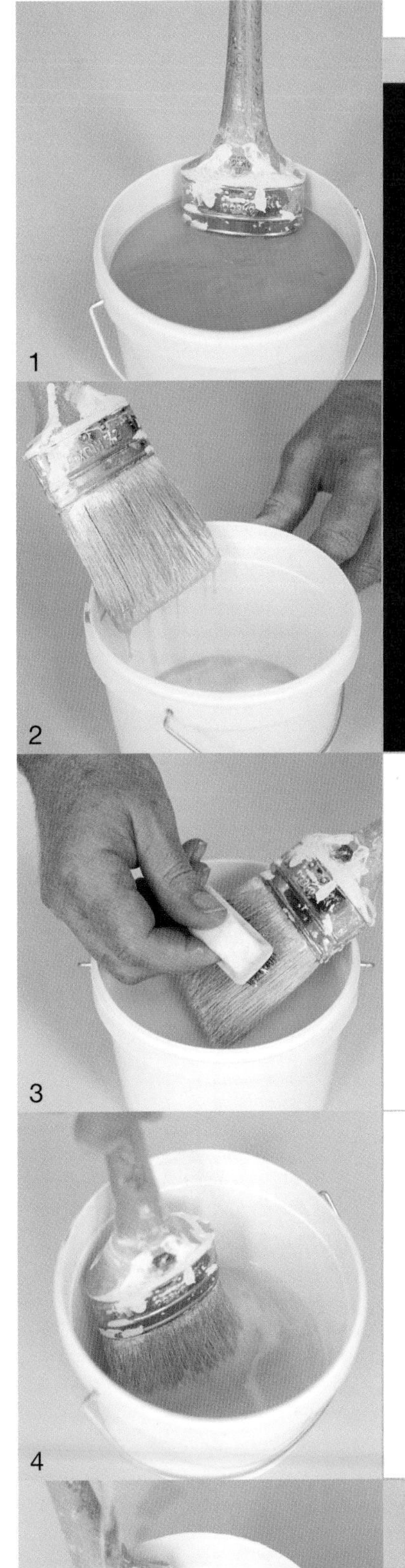
1
2
3
4
5
6

POINTS CLÉS

Diluants Préparez toujours un récipient contenant le diluant de la peinture que vous utilisez, white-spirit ou térébenthine pour les peintures à l'huile ; eau pour les autres.
Attention Ne laissez pas la peinture s'amalgamer à l'intérieur de la virole, ce qui peut arriver si vous imbibez trop la brosse ou si l'accessoire n'a pas suffisamment séché après nettoyage.
Longues séances Si vous peignez longtemps, lavez vos brosses de temps en temps pour éviter qu'elles ne se chargent trop de peinture.

Truc

Trempez régulièrement l'extrémité du pinceau dans le diluant pour empêcher les poils de s'agglomérer.

Rangement

Pause-café ou thé
Le nettoyage « au fur et à mesure » doit être appliqué chaque fois que vous faites une pause, mais si vous ne disposez pas d'assez de temps, mettez votre pinceau dans un sac en plastique que vous fermez soigneusement avec un élastique. S'il fait très chaud, placez le sac au réfrigérateur.

Conservation
Nettoyez vos pinceaux et laissez-les sécher. Après avoir enveloppé leurs poils dans du papier maintenu avec un élastique, entreposez-les bien à plat.

Aujourd'hui, les brosses ne sont pas les seuls outils pour appliquer la peinture. Grands rouleaux et tampons permettent au débutant de couvrir vite et bien de grandes surfaces plates, tandis que les plus petits servent aux tâches plus délicates.

ROULEAUX

Les rouleaux sont les outils préférés des décorateurs amateurs ; leur avantage essentiel réside dans la vitesse avec laquelle ils permettent d'appliquer la peinture sur de grandes surfaces telles que les plafonds et les murs. Mais ces accessoires ont leurs limites. Ils n'accèdent pas aux angles des parois, qui doivent être peints d'abord avec une brosse, et ont tendance à éclabousser si vous travaillez trop rapidement. Lorsqu'ils sont employés pour étaler de la peinture à l'huile, ils ont malheureusement tendance à produire un effet « peau d'orange » inesthétique au lieu de la finition lisse obtenue avec les pinceaux. Vous pouvez toutefois réduire cet inconvénient avec une brosse spéciale, le spalter. Lissez la peinture encore humide avec l'extrémité des poils, du bas vers le haut.

Tailles

Les rouleaux sont disponibles de 15 à 50 mm de diamètre et de 70 à 350 mm de largeur. Un rouleau de taille standard (180 mm de large) est plus facile à manipuler qu'un rouleau de 250 mm, également très courant.

Rouleaux et tampons à peindre

Poignées et montures

Les rouleaux sont constitués d'un cylindre recouvert de fibres, appelé manchon, que l'on glisse sur une monture. Celle-ci est constituée d'une poignée de bois ou de plastique au bout de laquelle est fixé un support métallique avec une butée ; le manchon s'y adapte, fermement maintenu par un écrou qui lui permet de tourner aisément – aujourd'hui, le plus souvent, il s'emboîte et se fixe par simple pression. Ces deux éléments forment un outil solide, idéal pour les travaux requérant un tour de main vigoureux. La poignée doit être bien équilibrée (vérifiez que vous la tenez confortablement avant l'achat). La plupart des montures peuvent s'adapter sur des perches, en général constituées d'aluminium, légères et télescopiques. Ces accessoires extrêmement commodes et maniables permettent de peindre des plafonds et des murs élevés, situés jusqu'à 4 mètres de hauteur, sans avoir besoin de grimper sur un escabeau. Il est alors possible de se tenir à l'écart de la surface à peindre, ce qui évite de recevoir les éclaboussures.

Manchons

Les manchons sont fabriqués dans des matériaux divers adaptés aux peintures différentes et à chaque type d'application. Il en existe en laine de mouton, poil de lama, peau d'agneau, mohair, fibres polyamides, fibres mixtes, mousse et tissu retourné. Les rouleaux synthétiques conviennent aux peintures à l'eau bien que certains d'entre eux soient également adaptés à des produits contenant des solvants (vérifiez sur l'étiquette). Quelques manchons ont une surface duveteuse épaisse pour un effet texturé, d'autres, une surface lisse. L'épaisseur du matériau dont ils sont constitués a son importance. En général, les manchons peu épais (mèches de 6 à 9 mm) sont utilisés pour les surfaces lisses, alors que ceux dont les mèches sont très longues (de 12 à 25 mm) sont employés pour la maçonnerie brute. Les rouleaux de qualité, épais et duveteux, couvrent davantage de surface avec moins de coulures et d'éclaboussures. Ils donnent un film plus épais et plus lisse, ne se déforment pas, ne perdent pas leurs fibres et peuvent être réutilisés si vous en prenez soin. Les manchons en mousse ou en polyester tissé n'ont pas de duvet. En général, les jaunes sont destinés aux peintures à l'eau, tandis que les rouleaux en mousse gris ou bleus conviennent plutôt à la peinture à l'huile. Les rouleaux en mousse – souvent de petite taille – donnent une finition particulièrement soignée et lisse. Faites des essais afin de décider quel est l'accessoire qui vous convient le mieux.

Rouleau à mèches longues
pour les surfaces rugueuses

Rouleau à mèches moyennes
pour les surfaces inégales

Rouleau à mèches fines
pour les surfaces lisses

Rouleau de laine professionnel
pour les surfaces inégales

Rouleau en mousse
pour les peintures acryliques

Truc

Plus la surface à peindre est lisse, moins le rouleau que vous devez utiliser a besoin d'être épais. Il existe des rouleaux destinés à des applications spécifiques : rouleaux incurvés, pour la peinture des tubes et des tuyaux ; mini-rouleaux (5 cm de long) pour les angles, les arêtes, les encadrements de fenêtres et les bois de fenêtres ; et rouleaux à longue poignée pour peindre derrière les radiateurs sans avoir à les enlever.

Nettoyage

Les rouleaux sont difficiles à nettoyer, en particulier si vous laissez la peinture s'y agglomérer. Avec de la persévérance, vous pouvez arriver à les récupérer ; toutefois, étant donné le prix modique des manchons, vous pouvez en acheter un par couleur, les envelopper séparément dans du film étirable pendant la durée de votre travail, et les jeter une fois que vous avez terminé.

TAMPONS À PEINDRE

Comme les rouleaux, les tampons servent à couvrir rapidement et efficacement de grandes surfaces. Ils étalent la peinture de la même façon que des brosses, en un seul passage au lieu de plusieurs, et ont tendance à produire une couche de peinture plus fine qu'un pinceau ou un rouleau, en laissant un film bien lisse et dépourvu de traces : plus « professionnel ». Il est parfois nécessaire de passer une deuxième couche.

La partie plate du tampon accueillant la peinture consiste en un patin de velours de mohair ou de fibre synthétique attaché à un support de mousse. Il existe une vaste gamme de tampons. Ceux de 20 x 8 cm et de 17 x 12 cm permettent de couvrir rapidement une grande surface tandis que les plus petits (11 x 8 cm) sont utilisés pour les lisières.

Certains tampons sont à usage unique, mais la plupart d'entre eux sont constitués d'éléments séparés s'adaptant à une poignée – des perches télescopiques permettent d'atteindre les plafonds et les murs élevés. Les tampons pour lisières ont des roulettes grâce auxquelles ils atteignent coins et arêtes.

Les tampons sont utilisés avec un bac à peinture qui peut être le même que celui servant aux rouleaux, ou un bac spécial muni d'un petit rouleau, situé au-dessus du réservoir, permettant de charger la peinture rapidement et régulièrement.

Voici une liste des articles qui vous seront utiles pour votre travail. Vous en possédez sans doute quelques-uns et pouvez sûrement emprunter les autres à des proches. La plupart d'entre eux sont relativement bon marché.

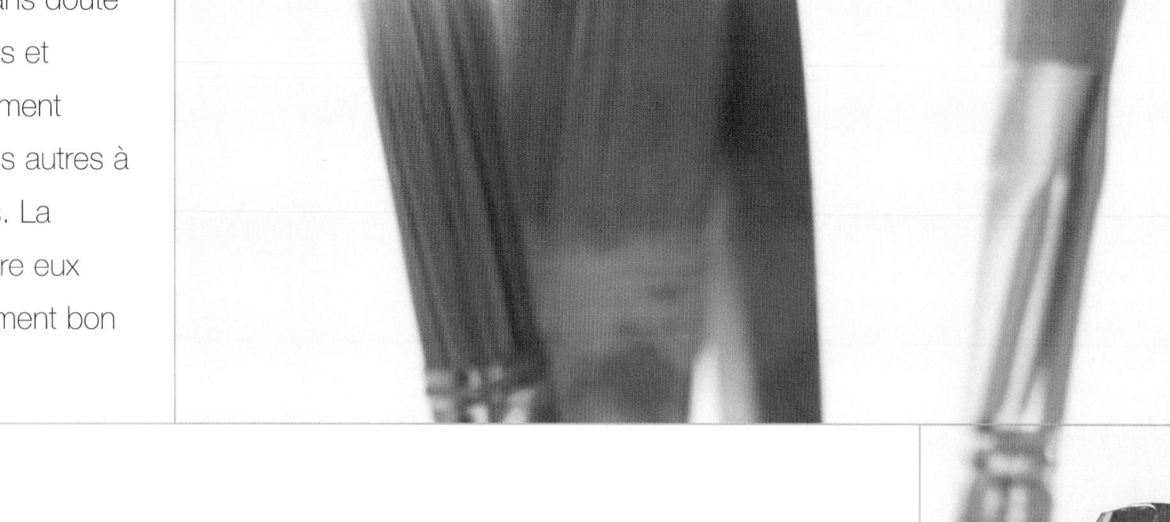

Les accessoires de base

Astuces de pro

- Une partie du matériel peut être louée à un prix relativement bas. Cherchez dans les Pages jaunes à la rubrique « Location d'outillage » afin de trouver le magasin le plus proche.
- Il est plus raisonnable de louer le matériel de spécialiste, coûteux ou encombrant.
- Les appareils tels que les nettoyeurs vapeur et les déshumidificateurs sont en vente dans les bons magasins de bricolage, mais il est pertinent de les louer d'abord pour les essayer avant l'achat.
- La plupart des magasins de location livrent et reprennent leur matériel.

MATÉRIEL UTILE

Accessoires de nettoyage, éponges, tissu en microfibres, chiffons divers, papier essuie-tout et essuie-mains.
Allumettes et cure-dents
Appareils protégés: appareils électriques avec double isolement.
Aspirateur
Assortiment de tournevis, chasse-clou et petit marteau
Bâches de tissu et de plastique.
Bacs à peinture
Balai, pelle, balayette et brosse à poussière
Ruban de masquage
Brosses de métal
Brosses, tampons et rouleaux
Cageots: très utiles pour poser des planches si vous avez besoin d'un peu de hauteur mais que vous ne voulez pas passer votre temps à déplacer un escabeau.
Carnet et crayon
Ceinture à outils ou grandes poches, pour garder les mains libres quand vous travaillez ou montez sur un escabeau.
Ciseaux
Coussin pour les genoux, sur sol dur.
Couteaux et grattoirs: couteaux à enduit, couteau de vitrier, grattoir à papier peint, à fenêtre et à bois.
Cutter et lames.
Décapant
Décolleuse à papier peint: un « must » s'il faut retirer beaucoup de papier.
Déshumidificateur: pour extraire l'humidité de l'air. Utile si vous détectez un problème d'humidité ou de condensation, ou si vous êtes en présence de plâtre neuf; il existe en différentes capacités pour l'usage domestique ou commercial. Peut être loué.
Diluant pour le nettoyage des brosses.
Enduits et fixateurs différents.
Escabeaux
Lunettes et oreillettes protectrices, si vous utilisez du matériel électrique de ponçage.
Masque à poussière et masque respiratoire.
Matériel de nettoyage: lessive décapante, alcool à brûler, white-spirit, lessive (pour rouleaux et pinceaux).
Nettoyeurs vapeur Cet appareil domestique très utile, qui peut être loué, vaut la peine d'être acheté si vous devez beaucoup l'utiliser.
Ouvre couvercle et mélangeur pour ouvrir les pots et pour remuer la peinture.
Papier abrasif de différents types; de grain épais, moyen et fin; et pouvant être utilisé sec et mouillé. Cales à poncer et tissus abrasifs.
Papier d'apprêt, très utile, y compris pour la protection des surfaces.
Planche de 1,20 x 6 m pour disposer les outils et les accessoires.
Sacs en plastique alimentaires (pour pinceaux, tampons et rouleaux) et sacs en plastique ordinaires (pour recouvrir les appliques etc.).
Sacs poubelle en grande quantité.
Seaux de métal et de plastique.
Testeur d'humidité: permet de savoir si des surfaces ou des taches sont sèches avant l'application de la peinture ou d'une autre couche.
Tréteaux, matériel pour échafaudage (voir p. 87) qui peuvent être loués.
Vêtements protecteurs: survêtement, bonnet de peintre, tabliers.
Vieilles brosses à dents et petites brosses à chiendent sont utiles pour de nombreuses petites tâches.

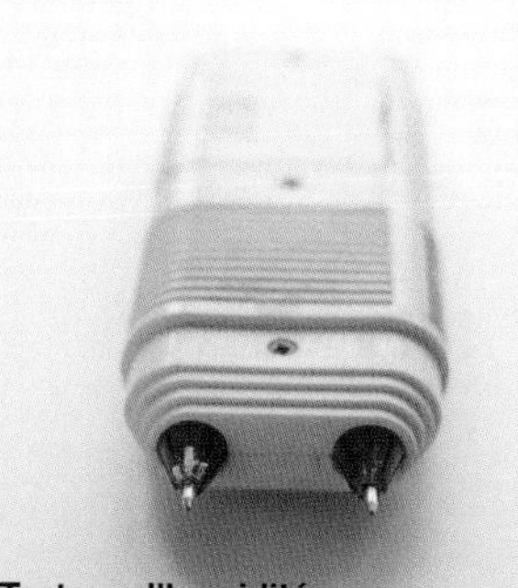
Testeur d'humidité

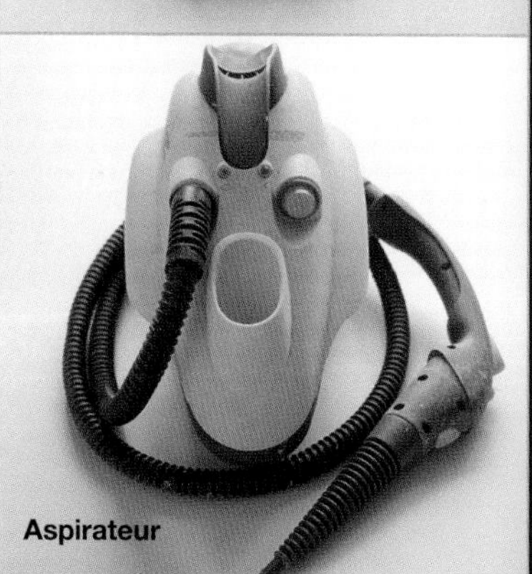
Aspirateur

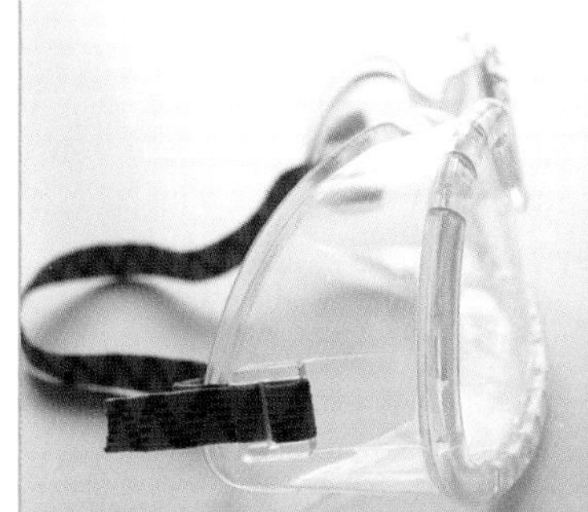
Lunettes protectrices

POINTS CLÉS

Avant de commencer assurez-vous que vous avez tous les outils et l'équipement nécessaires, ce qui vous évitera d'avoir à interrompre votre travail et d'en briser le rythme.
Nettoyez Vous n'aurez jamais assez de sacs poubelle ou de chiffons à portée de main.
Organisez-vous Consacrez un endroit à vos outils et accessoires – une planche dans un coin de la pièce. Remettez chaque objet en place après utilisation afin de ne rien perdre.
Nouveaux outils Prenez le temps de manipuler les appareils tels que les décolleuses. Lisez les instructions et entraînez-vous avant de les utiliser.
Ne vous dépêchez pas afin d'éviter les accidents.
Écartez enfants et animaux de votre chantier qui comporte trop de risques.

Brosse à dents

NETTOYAGE ET PRÉPARATION

Que faites-vous lorsque vous avez décidé de repeindre une pièce ? Vous achetez de la peinture et des pinceaux et vous vous mettez au travail. Erreur ! Vous devez avant toute chose, débarrasser la pièce de ses meubles, en protéger le sol avec des bâches et procéder à un nettoyage soigné : toute salissure empêche le film d'adhérer à son support et la poussière a tendance à se coller sur la peinture fraîche. Ensuite, décapez, enduisez et lissez les surfaces – afin de les préparer correctement à recevoir la couleur – et fixez-les, pour garantir un accrochage parfait de la peinture ou du vernis utilisé. Ces préliminaires peuvent paraître ennuyeux mais ils sont indispensables. À moins que votre logement ne soit neuf, il vous faut prévoir trois heures de préparation pour une heure de peinture. Si vous respectez ces étapes de préparation, votre travail sera aisé et vous obtiendrez un résultat satisfaisant et durable.

DÉBARRASSER ET NETTOYER

La pièce la plus facile à peindre est une pièce… vide – le cas est malheureusement exceptionnel. Essayez toutefois de débarrasser votre espace de travail et de protéger les objets ne pouvant être déplacés avant de nettoyer et de vous organiser.

Vous avez décidé de repeindre une pièce ? réfléchissez à la façon de vous y prendre bien avant la date à laquelle vous devez commencer. Si l'espace est très encombré, saisissez cette occasion pour le débarrasser petit à petit. Triez les affaires bonnes à jeter, à vendre ou à donner aux associations caritatives. Même les maisons les mieux organisées contiennent des objets qui n'ont plus aucune utilité. Ensuite, décidez quelles choses peuvent être rangées ailleurs – dans le placard de l'entrée, le cagibi, la cave, le grenier ou la grange. Plus vous dégagez votre futur « chantier », plus votre travail sera facile, rapide et sans risque. Le moment venu, éliminez de l'espace tous les objets transportables. Mettez les livres que vous ne pouvez caser à un autre endroit dans des cartons que vous empilerez dans un coin et passez soigneusement l'aspirateur au milieu de la pièce. Même dans les maisons les mieux entretenues la poussière s'accumule sous les meubles et les tapis. Une fois les tapis propres, roulez-les, protégez-les avec une bâche de plastique et rangez-les à l'écart. Groupez ensuite les objets restants au centre et passez l'aspirateur le long des murs.

Débarrassez

votre espace de travail

Lampes et radiateurs

Ôtez tous les abat-jour et ampoules des lampes autour desquelles vous devez peindre. Si vous ne pouvez les enlever, recouvrez-les de tissu ou d'un sac plastique (uniquement si vous n'avez pas besoin d'allumer la lumière, sinon il fondrait à la chaleur).

Si vous êtes perfectionniste, vous pouvez vidanger et retirer les radiateurs (ou demander à quelqu'un de le faire) pour pouvoir peindre derrière. Sinon, laissez-les en place et utilisez une brosse à radiateur permettant d'atteindre les zones peu accessibles.

Il est souvent conseillé de retirer les prises et appliques pour pouvoir peindre derrière. Non seulement ce n'est pas nécessaire, mais cela pose souvent des problèmes : il arrive que les murs ne soient pas réguliers et remonter ces accessoires n'est pas si simple. Vous obtiendrez une finition soignée en vous servant d'un pinceau fin pour les contours.

Ôtez les tringles à rideaux ainsi que toutes les garnitures des portes et fenêtres, en repérant l'emplacement des vis, et rangez-les avec les anneaux, dans un sac en plastique qu'il est conseillé d'attacher à la tringle avec du papier collant. Rassemblez de même les accessoires de portes et de fenêtres à peindre, étiquetez-les et rangez-les soigneusement.

POINTS CLÉS

Videz la pièce si possible. Protégez les objets restants avec des bâches de tissu ou de plastique.
Passez l'aspirateur pour bien éliminer toute la poussière.
Recouvrez le sol d'une bâche protectrice.
Installez une planche sur laquelle vous rassemblez tous vos accessoires : pots, pinceaux, rouleaux...
Écartez enfants et animaux de votre chantier.

Protégez le sol

Il existe plusieurs moyens de protéger le sol, l'essentiel étant de trouver le plus sûr et efficace. Les bâches de tissu traditionnelles sont moins pratiques que celles en plastique : elles ont tendance à faire des plis dans lesquels on se prend les pieds. Celles de plastique fin, glissantes, ont elles aussi tendance à se plisser. Le plastique épais fournit un sol plus ferme : fixez-en les bords au papier collant, ce qui évite à la poussière de s'infiltrer dessous. Les bâches goudronnées sont commodes : lourdes, non glissantes et résistantes. Servez-vous également du papier d'apprêt : non glissant, il se laisse bien étaler et vous pouvez le faire remonter au-dessus des plinthes. La meilleure solution consiste souvent à combiner plusieurs protections. Utilisez le tissu et le plastique sur les zones principales, puis placez du papier d'apprêt à l'endroit où vous travaillez et déplacez-le au fur et à mesure de votre progression.

Truc

Marquez les emplacements des vis – pour les tringles à rideau, par exemple – à l'aide de cure-dents : vous les retrouverez ainsi facilement. Au moment de remettre les accessoires en place, cassez le cure-dent à ras du mur et laissez l'autre morceau à l'intérieur : la vis s'y accrochera et n'en sera que plus solide.

Protégez vos objets

Recouvrez de housses les meubles et objets que vous ne pouvez pas retirer de la pièce ; fixez ces draps avec du papier collant, des pinces à linge ou des pinces à dessin, pour empêcher la poussière de s'infiltrer dessous, puis protégez-les des éclaboussures à l'aide de bâches de plastique fin – attachées soigneusement pour ne pas risquer de vous prendre les pieds dedans.

La plupart des gens préfèrent manier le pinceau plutôt que de consacrer du temps à nettoyer et à éliminer les taches. Pourtant, cette étape est importante car la saleté, la graisse et la poussière compromettent l'adhérence de la peinture.

NETTOYAGE

La clé d'un travail de peinture réussi est sa préparation. Même si celle-ci peut sembler ennuyeuse, il faut compter trois heures de travail préliminaire – nettoyage, application des enduits et ponçage – pour une heure de peinture. Le nettoyage est important car la saleté, la graisse et la poussière compromettent l'adhérence de la couverture. Une fois qu'il est terminé, vous éprouvez la satisfaction du travail bien fait et vous êtes certain que l'application de la couleur s'effectuera sans souci. Après avoir débarrassé la pièce, passez l'aspirateur partout, ce qui vous donne une bonne occasion d'inspecter les surfaces à peindre, de vérifier leur état général et de repérer les endroits qui nécessitent un traitement spécial.

Nettoyage des surfaces peintes

Truc

Mettez des gants de caoutchouc lorsque vous utilisez des produits de nettoyage tels que la lessive décapante.

Astuces de pro

Avant de peindre, le nettoyage et l'élimination des taches ou des marques sont impératifs si vous voulez obtenir une finition propre et durable. Voyons comment traiter les taches les plus courantes :

- **Nicotine**
Une pièce où l'on a beaucoup fumé doit faire l'objet d'une attention spéciale car la nicotine qui accumulée sur les parois est difficile à éliminer. Utilisez une lessive décapante et préparez-vous à laver la surface plusieurs fois pour retirer toutes les traces de goudrons. Rincez avec soin à l'eau claire, en renouvelant l'eau régulièrement, ou bien utilisez un nettoyeur à vapeur domestique.

- **Rouille et moisissures**
Elles doivent être traitées avant l'application de la peinture. Diluez de l'eau de Javel en suivant les instructions du fabricant et appliquez la solution sur les taches ; puis laissez agir et rincez à l'eau claire. Vous pouvez également utiliser un produit spécial contre les moisissures, en suivant, là aussi, les indications du fabricant. Utilisez des gants de caoutchouc et des lunettes de protection.

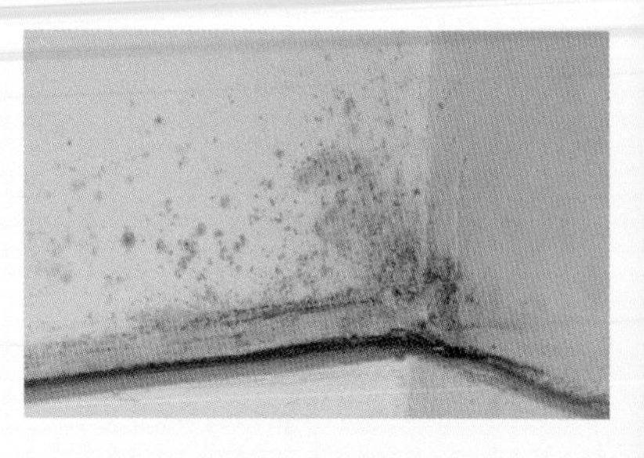

Lessive décapante

La lessive décapante, nettoyant alcalin doux et puissant est la première arme à utiliser. Sa formule est conçue pour laver la surface à peindre et la préparer à mieux accrocher la peinture. Disponible sous forme de cristaux ou de liquide, elle doit être mélangée à de l'eau selon les instructions du fabricant. Elle possède la faculté de pénétrer la graisse et la crasse, et élimine même les taches de nicotine. Trempez une éponge ou un morceau de tissu dans la solution et lavez la surface en travaillant de haut en bas pour éviter les coulures. Rincez à l'eau.

Nettoyage à la vapeur

Le nettoyage à la vapeur à l'aide d'un appareil domestique ne présente aucun danger pour l'environnement car il ne dégage aucun produit toxique. Ces appareils très performants sont de plus en plus courants et accessibles. Suivez les instructions du fabricant pour leur utilisation. Bien qu'ils soient faciles à employer et efficaces, ils ne préparent pas la surface à recevoir la peinture comme le fait la lessive décapante. La vapeur rend propre mais ne favorise pas l'accrochage : vous allez devoir effectuer un ponçage.

POINTS CLÉS

Préparez La préparation est indispensable : consacrez-lui du temps pour en gagner au total.
Nettoyez Commencez par passer l'aspirateur. Lavez toutes les surfaces avec une lessive décapante qui non seulement rend la surface propre mais la prépare à recevoir la peinture sans avoir besoin de poncer – elle laisse toutefois des résidus et doit être rincée soigneusement. Un nettoyeur à vapeur désencrasse correctement, sans résidus, mais il vous faut ensuite poncer le support avant de peindre.
Rincez Si vous utilisez des produits chimiques ou des agents nettoyants, rincez toujours à l'eau claire pour éliminer tout résidu pouvant altérer la peinture.
Finissez par poncer la surface. Passez d'abord l'aspirateur et essuyez les murs avec un chiffon humide.

- **Marques grasses**
Vous pouvez utiliser du liquide vaisselle, de la lessive décapante ou du white-spirit suivi d'un lavage au liquide vaisselle. Rincez abondamment à l'eau claire pour éliminer tous les résidus.

- **Taches d'humidité**
Nettoyez avec une lessive décapante, puis traitez avec un fongicide ou appliquez deux sous-couches à l'huile.

- **Crayon et encre**
Gommez d'abord ces taches pour en effacer la plus grande partie, puis frottez-les avec du papier abrasif épais ou à l'eau. Appliquez enfin un fixateur pour empêcher la tache de ressortir à travers les couches de peinture.

Truc

Vérifiez l'étiquette de votre produit nettoyant : il ne doit pas contenir d'ammoniaque – difficile à neutraliser et dont les résidus peuvent jaunir la peinture. Évitez que la lessive décapante ne coule sur les murs ou le bois car elle laisserait des traces.

Le ponçage vous permet d'éliminer une peinture ou un vernis anciens et de lisser une surface irrégulière. C'est une étape importante, souvent omise, de la préparation d'un support à peindre.

LE BON ABRASIF

Une fois la surface propre, vous devez la poncer en choisissant une méthode adaptée à son état. Un support déjà lisse peut être frotté au papier de verre fin pour que l'accrochage de la première couche se fasse mieux. Poncez un mur ou un plafond vraiment rugueux avec un papier abrasif épais afin d'en éliminer les irrégularités, puis frottez-les avec un papier moyen ou fin pour leur donner l'uniformité qui garantira une belle finition.

Ponçage

Papier abrasif

Le papier abrasif dit « papier de verre » est un accessoire de bricolage indispensable et bon marché. Se prêtant à de multiples emplois, il est utilisé pour « user » une surface par frottement. Il sert donc à lisser et égaliser un support irrégulier, ou à érafler légèrement un support trop lisse pour que celui-ci puisse accrocher la peinture. Constitué de particules acérées collées sur un papier résistant, il possède un pouvoir abrasif qui varie selon la quantité de particules occupant une surface donnée : plus elles sont nombreuses, plus l'abrasion est fine. Le papier d'oxyde d'aluminium est le plus courant, durable et utilisé pour de nombreuses tâches.

Catégories de papier abrasif

- **Très gros : 6** – provoque une forte abrasion.
- **Gros : 4** – provoque une abrasion importante.
- **Moyen : 2** — sert à lisser et à éliminer les petites imperfections.
- **Fin : 0** — prépare la surface à la peinture ou au vernis.
- **Très fin : de 2/0 à 3/0** à utiliser entre les couches de peinture ou de vernis. Il existe des catégories encore plus fines mais vous n'avez pas besoin d'une qualité supérieure à 3/0 pour vos réalisations domestiques.

Papier abrasif à l'eau

Ce papier abrasif, particulièrement résistant, donne une finition très lisse lorsqu'il est humidifié. Couramment utilisé pour le travail de carrosserie, il peut être avantageusement ajouté à vos accessoires.

POINTS CLÉS

Les ponceuses électriques sont performantes ; utilisez-les pour les sols et les murs.
Les appareils électriques aux normes sont aujourd'hui sécurisés.
Les masques à poussière sont indispensables avec une ponceuse électrique.
Le papier de verre : utilisez le papier adéquat pour vous faciliter le travail.
Éliminez la poussière au fur et à mesure. Passez l'aspirateur – videz-le régulièrement avant qu'il soit plein car la poussière fine bouche les filtres – puis passez un chiffon humide sur la surface à peindre.

Laine d'acier

Se répartit, elle aussi, en différentes catégories. Elle peut être utilisée pour lisser une surface recouverte de vernis ou de teinte à bois.

Produit liquide

C'est la solution des paresseux. Il ne ponce pas réellement la surface, mais la prépare à accrocher la peinture.

Cales à poncer

La cale la plus simple est constituée d'un pavé de liège autour duquel est enroulé un morceau de papier de verre. Tenant bien dans la main, cet accessoire permet de mieux maîtriser le ponçage. Il existe des cales toutes prêtes pourvues de recharges de papier abrasif, sec ou humide.

Ponceuse électrique

Très utiles pour les travaux de ponçage importants, ces appareils sont disponibles en plusieurs tailles. Les petites ponceuses sont conçues pour lisser des zones telles que les plinthes et les encadrements de fenêtres ; les ponceuses à main sont destinées aux surfaces petites mais plates. Les grosses ponceuses orbitales sont utilisées sur les murs, les portes et les grandes étagères. N'appuyez pas trop sur l'appareil : cela réduit la vitesse et surcharge le moteur. Sur le bois, prenez des précautions afin de ne pas laisser de traces. Déplacez la ponceuse sur la surface en exerçant une pression régulière et changez régulièrement le papier abrasif pour obtenir le maximum d'efficacité.

SANTÉ ET SÉCURITÉ

Les normes en vigueur imposant un double isolement, l'utilisation d'appareils électriques s'effectue dans des conditions de sécurité maximales. En outre, les compteurs sont tous munis de disjoncteurs qui coupent automatiquement le courant en cas de court-circuit.

Rafraîchir une pièce ne signifie pas forcément en changer le papier peint : donnez à vos murs un coup de jeune en leur offrant un nettoyage soigné.

NETTOYER

Lorsque vous décorez une pièce, il n'est pas toujours nécessaire de la repeindre ou de remplacer le papier peint. Attention cependant: si vous rénovez vos portes et fenêtres, votre ancienne tapisserie pourra paraître bien terne. Si c'est le cas, avant de transformer entièrement vos murs, il y a souvent autre chose à faire. Des papiers peints différents requièrent différents types de nettoyage. Certains d'entre eux ne sont pas lavables ; il leur faut donc un coup d'aspirateur ou de chiffon. Ceux qui se lavent possèdent un revêtement de plastique et peuvent être rénovés avec une éponge ou un linge humides. Enfin, le papier qui se laisse gommer supporte un lavage intense. Essayez toujours votre méthode de nettoyage sur un endroit peu visible – derrière un tableau ou un canapé, par exemple.

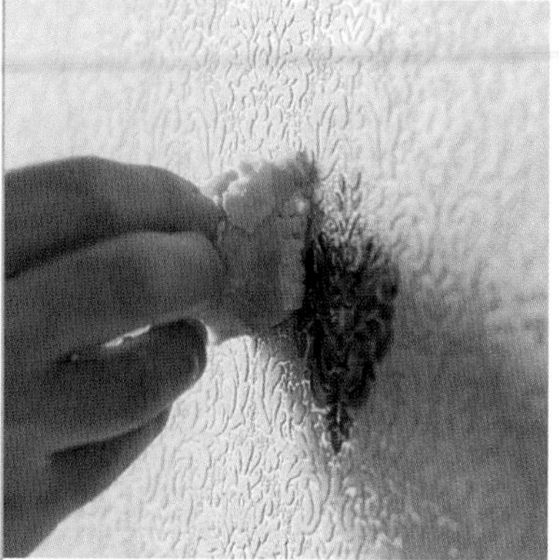

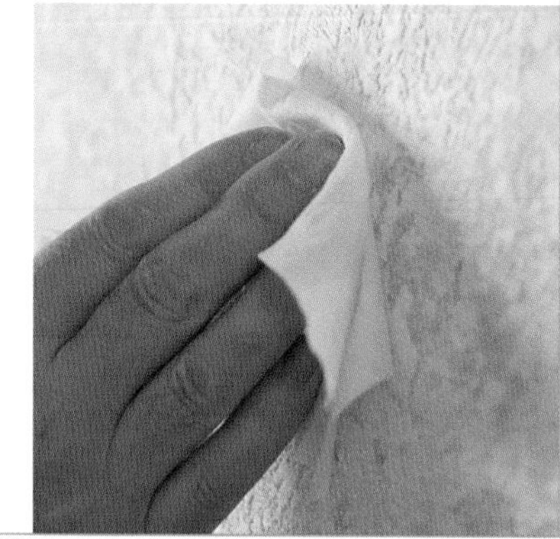

Truc

Avec du pain rassis, mais pas tout à fait sec, formez une boule de mie compacte que vous roulez sur le mur ou que vous frottez, comme une gomme.

Nettoyage du papier peint

Éliminez les taches

Traces de doigts et de crayon noir

Essayez de gommer doucement toutes les traces de doigts et de crayon noir avec une gomme de peintre ou un nettoyant pour papier peint industriel.
S'il reste des marques sur un papier lavable, vous pouvez essayer de les nettoyer avec une éponge humide.

Taches de graisse

Posez un papier buvard ou plusieurs épaisseurs d'essuie-tout sur la tache. Appliquez dessus un fer chaud jusqu'à ce que la graisse soit absorbée. Si cela ne marche pas, essayez un produit antitaches qui forme, en séchant, une poudre facilement éliminée avec une brosse.
Sur du papier lavable, vous pouvez essayer de laver la tache de graisse avec un détergent. Rincez ensuite à l'eau claire.

Craies de couleur grasses

Grattez l'excès de craie avec un couteau et utilisez la méthode appliquée aux taches de graisse.
Sur les papiers non lavables, essayez une pâte détachante ou frottez doucement avec un chiffon imbibé d'alcool à 90° ou de détachant liquide.
Attention, ces produits sont inflammables et leurs vapeurs sont toxiques : opérez sur de petites zones et assurez-vous que la pièce est bien ventilée.

POINTS CLÉS

Vérifiez les recommandations du fabricant avant de nettoyer du papier peint.
Éliminez les taches dès qu'elles apparaissent : cela minimise toute réaction entre la tache et le papier et évite une décoloration permanente.
Les taches de saleté peuvent être éliminées à l'eau tiède et au savon. Rincez soigneusement à l'eau claire et essuyez avec un chiffon ou un essuie-tout.
Les taches difficiles réclament des détergents. Nettoyez sur une petite zone peu visible et rincez à l'eau claire.
N'utilisez pas de laine d'acier, de lessives en poudre ou de solvants qui peuvent endommager le papier peint.

Truc

Assurez-vous que vos enfants utilisent des crayons de couleur lavables !

Nettoyage du papier peint lavable

1 Préparez une solution de lessive décapante en suivant les instructions. Nettoyez le plafond avant de vous attaquer aux murs, que vous laverez avec une éponge, en travaillant de bas en haut pour éviter les marques de coulures sales. Frottez avec un mouvement circulaire en veillant à ne pas détremper le papier.

2 Rincez ce que vous venez de nettoyer à l'eau claire et tamponnez avec un tissu sec pour éliminer le liquide. Passez à la zone voisine – nettoyez, rincez et pré-séchez comme précédemment. Laissez sécher entièrement et vérifiez le résultat au cas où il serait nécessaire de répéter l'opération.

3 Quand les bords des lés sont décollés, recollez-les en utilisant un produit spécial. Éliminez l'excès de colle avec un chiffon humide et laissez sécher.

4 Si le papier peint forme des cloques, fendez-les avec une fine lame de cutter, écartez les bords, insérez la colle spéciale, aplatissez le papier et éliminez l'excès de colle avec un chiffon humide.

La pièce que vous avez décidé de rénover entièrement est recouverte de papier peint ? vous pouvez choisir de peindre sur le papier existant, ou de le retirer intégralement avant de réaliser votre nouvelle décoration.

DÉCOLLER LE PAPIER PEINT

Recouvrez le sol entier avec des bâches, en vous assurant qu'elles sont bien tendues et que vous ne risquez pas de trébucher, puis rassemblez plusieurs grands sacs-poubelle. Ramassez régulièrement les lambeaux de papier et mettez-les dans ces sacs pour éviter qu'ils ne collent à la bâche. Si vous utilisez des gants de caoutchouc, rincez-les également à intervalle régulier pour en ôter la colle. Le papier peint vinylique et le papier lavable sont les plus faciles à enlever. Décollez-en un coin et tirez dessus : la pellicule supérieure se sépare alors de sa base que vous pourrez ensuite éliminer en utilisant l'eau ou la vapeur et un grattoir.

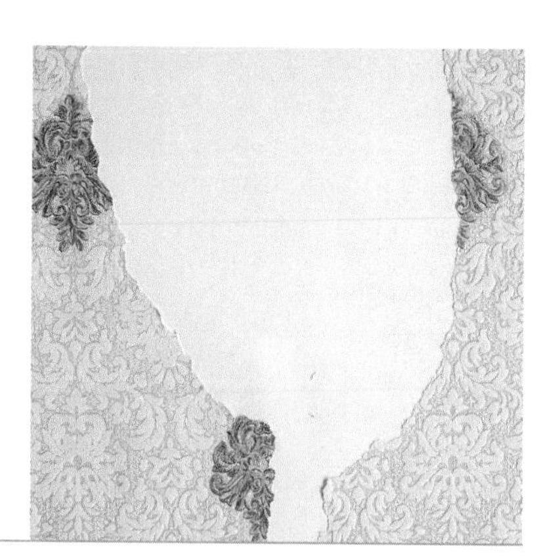

Décollage du papier peint

À la vapeur

C'est de loin la méthode la plus facile et la plus rapide pour retirer le papier peint. Les décolleuses peuvent être louées dans des magasins de bricolage. Lisez soigneusement les instructions et respectez les règles de sécurité.

1 Placez la semelle sur le mur lorsque la vapeur se forme et attendez que celle-ci pénètre à travers le papier ; faites preuve de patience, laissez-la travailler pour vous.

1

2 Utilisez un grattoir pour enlever le papier. Inclinez-le légèrement par rapport au mur et veillez à ne pas endommager ce dernier – vous trouverez rapidement la position la plus efficace. Si le papier ne se décolle pas facilement, la vapeur n'a pas fait son travail. Recommencez l'opération.

2

À l'eau

Le papier peint peut également être retiré avec de l'eau appliquée avec une éponge ou un pulvérisateur.

1 Le décollage du papier peut être accéléré si vous ajoutez à l'eau des agents mouillants à base d'enzymes, car ces produits aident à désagréger la colle. Suivez toujours les instructions du fabricant.

2 Les papiers épais ou dont la surface est très peu absorbante doivent être entaillés pour que le liquide puisse facilement pénétrer dessous. Il existe des rouleaux hérissés – spécialement conçus pour cet usage – qu'il vous suffit de passer pour rendre la pellicule perméable. Vous pouvez aussi tracer des croisillons au cutter. Attention de ne pas rayer trop profondément le papier sous peine d'abîmer le plâtre en dessous.

3 Appliquez l'eau sur la surface à l'aide d'une éponge ou d'un pulvérisateur et laissez le papier s'imbiber. Travaillez sur une zone d'un mètre carré (si vous humidifiez trop de papier, certaines parties commenceront à sécher avant que vous puissiez les enlever). Faites preuve de patience, laissez l'eau remplir son office.

4 Pour enlever le papier, tenez votre grattoir de façon légèrement inclinée, et travaillez avec précaution pour ne pas abîmer le plâtre en dessous. Le papier doit se retirer facilement – si ce n'est pas le cas, imbibez-le à nouveau.

1

2

3

4

Truc

Étendez sur le sol du papier d'apprêt ou un peu d'Isorel. Ces protections restent bien à plat, peuvent être appliquées à ras des plinthes et facilitent grandement le travail de nettoyage à la fin de la journée. Enroulez le papier d'apprêt en emprisonnant les gravats et jetez le tout directement dans un sac-poubelle. Nettoyez les panneaux d'Isorel avec une balayette et une pelle.

POINTS CLÉS

Vapeur ou eau ? Toutes deux peuvent être utilisées pour enlever le papier peint.
Adhérence Retirez tout le papier dont des morceaux restent parfois collés au mur.
Colle à papier peint Tous les résidus doivent être éliminés. Lavez, grattez et rincez jusqu'à propreté totale. Laissez sécher entièrement les murs avant de les recouvrir de nouveau.
Sacs-poubelle Prévoyez une bonne réserve de sacs poubelle et remplissez-les au fur et à mesure. Les lambeaux de papier sont collants. En séchant, ils adhèrent au support sur lequel ils tombent
Préparez-vous au pire ! Le papier peint est bien souvent un « cache-misère ». Si vous découvrez un plâtre qui s'effrite, ou si vous en arrachez quelques morceaux, ne vous inquiétez pas, tous ces problèmes peuvent être résolus (p. 64-67).

Astuces de pro

- Plongez une poignée de colle à papier peint dans un seau d'eau ; ajoutez-y un jet de liquide vaisselle. La colle fait adhérer ce mélange au support et le liquide vaisselle facilite l'humidification.
- Ajoutez de l'assouplissant pour le linge à de l'eau tiède ou chaude. Appliquez cette solution avec une éponge, une brosse ou un pulvérisateur et laissez imbiber.
- Versez une tasse de vinaigre blanc dans 5 litres d'eau. Appliquez à l'éponge ou au pulvérisateur. Laissez imbiber et retirez le papier.

La plupart des surfaces doivent être « fixées » avant de pouvoir être peintes. Prenez le temps de préparer vos supports correctement, vous pourrez alors appliquer dessus presque n'importe quel produit de finition !

Plâtre neuf
Laissez au plâtre neuf le temps de bien sécher. Les petits travaux de replâtrage sèchent en un ou deux jours ; les grandes surfaces comme les murs et le plafond sèchent en une semaine ou plus, en fonction du temps qu'il fait et de l'humidité ambiante – le séchage en profondeur d'un plâtre épais peut prendre jusqu'à 90 jours. Un déshumidificateur accélère le processus – achetez un modèle domestique ou louez un appareil industriel. Poncez toutes les irrégularités avec du papier abrasif moyen, puis avec du papier fin, et éliminez la poussière. Appliquez ensuite un fond dur anti-taches pour intérieur. Lorsque le plâtre neuf est bien sec, il doit être traité avec une émulsion spéciale, un primaire/fixateur spécial ou un primaire universel.

Préparation des surfaces

Taches d'humidité
Assurez-vous tout d'abord que la cause de l'humidité a été éliminée. Nettoyez les taches le mieux possible et rincez. Lorsque la surface est sèche, appliquez un primaire/fixateur à l'eau ou au solvant ; si la tache traverse cette pellicule, appliquez-en une seconde couche. Les primaires/fixateurs à base de solvants sont les produits les plus efficaces pour éliminer les taches persistantes.

Brûlures, suie, graisse
Nettoyez le mieux possible la zone souillée avec un détergent et rincez. Laissez sécher et appliquez un primaire/fixateur à l'eau ou au solvant, ou bien un enduit bloquant les taches. Si la tache réapparaît malgré tout appliquez une deuxième couche. Les primaires/fixateurs à base de solvants dissimulent les taches de brûlures et masquent les odeurs.

Placoplâtre neuf
Avant de peindre, assurez-vous que tous les joints et irrégularités sont bien poncés et dépoussiérés. Appliquez un primaire/fixateur spécial placoplâtre en suivant les instructions du fabricant, ou bien utilisez un primaire/fixateur universel bloquant les taches.

Parquet
Les parquets peuvent être préparés soit avec un primaire/fixateur spécial, soit avec un primaire universel, à l'huile ou acrylique. Vous pouvez aussi utiliser un vernis spécial pour parquet dilué à 10 %, incolore ou teinté.

TERMES CLÉS

Accrocher la peinture Les produits de préparation permettent au film couvrant de mieux adhérer à la surface.
Texture La texture d'une surface influe sur l'adhérence de la peinture appliquée.

Papier peint
Utilisez un primaire à base de solvant. Laissez sécher et vérifiez que les taches ne ressortent pas, sinon, appliquez une deuxième couche si nécessaire. Vérifiez que la surface est bien lisse avant d'appliquer la peinture.

Carrelage
Traitez les moisissures. Inspectez les joints et réparez-les si nécessaire, puis lavez la surface entière avec un détergent et un tampon abrasif non métallique. Rincez et séchez soigneusement. Pour augmenter l'adhérence, poncez le carrelage avec un papier abrasif fin et essuyez ensuite avec un chiffon humide. Utilisez une peinture spéciale pour carreaux de faïence et respectez les règles de sécurité – port d'un masque et bonne ventilation.

Mélaminé
Des primaires/fixateurs spéciaux permettent à la surface lisse du mélaminé de mieux accrocher la peinture, d'augmenter son adhérence et la qualité de la couche de finition. Ces produits donnent d'excellents résultats.

Traitement du bois
Les nœuds et les zones résineuses doivent être complètement recouverts de pâte à bois – le produit doit dépasser légèrement la surface concernée. Vous pouvez ensuite appliquer un primaire pour bois à base d'huile ou de résines d'alkydes, un primaire universel, un primaire acrylique à séchage rapide ou un primaire/fixateur spécial.

Les bois durs doivent être traités avec un primaire à base d'oxyde d'aluminium qui dissimule également les nœuds résineux et constitue une barrière contre les taches.

Médium
Le médium est constitué de feuilles de fibres de bois compressées. Il doit être traité avec un primaire/fixateur spécial. Mettez un masque lorsque vous poncez ou coupez ce matériau.

Marbre
Utilisez un primaire/fixateur de bonne qualité.

Métal
Utilisez un primaire pour métal ou un produit antirouille.

PVC
Utilisez un primaire spécial.

Verre
Utilisez une peinture spéciale pour verre.

CHOISIR LE BON PRODUIT

Il existe une quantité de primaires et de fixateurs sur le marché. D'un côté, cette profusion rend le choix malaisé ; de l'autre, elle vous permet de trouver ce que vous cherchez, quelle que soit la nature de la surface à traiter ou son état. Si les produits énumérés ici ne conviennent pas, faites-vous conseiller : les vendeurs des magasins spécialisés sont une véritable mine d'informations. Vous pouvez également essayer de trouver sur Internet un interlocuteur prêt à partager ses connaissances en la matière.

Lorsque vous utilisez un primaire ou fixateur, lisez les instructions et suivez les recommandations relatives à la sécurité, à la méthode d'application et au temps de séchage. Assurez-vous que la surface est régulièrement recouverte du produit et que celui-ci a bien pénétré dans les fissures, les joints et autres interstices. Laissez sécher le temps qu'il faut – il y a parfois des temps de séchage maximaux. Si vous laissez la couche primaire dépasser son temps de séchage avant d'appliquer les couches suivantes du revêtement prévu, il vous faut poncer et recommencer.

Imprimer et fixer les surfaces

Couches de peinture

Primaires et fixateurs Un primaire fixe la surface, la rendant moins absorbante afin que les couches de peinture soient plus faciles à appliquer, aient plus de pouvoir couvrant et adhèrent mieux. Vous n'en avez pas besoin si la peinture existante est en bon état ; si elle est écaillée, traitez les zones dénudées. Les fixateurs sont utilisés pour fixer des surfaces qui sont particulièrement poudreuses ou tachées ; ils empêchent également une couche de finition d'être absorbée par une couche précédente. Fixez le plâtre neuf avec un fixateur spécial pour support poreux qui permet au matériau de respirer.

Sous-couche Cette couche intermédiaire peut parfois être nécessaire pour préparer une surface imprimée ou fixée à accueillir la couche de finition. Elle est utilisée pour modifier la couleur du support, augmenter l'épaisseur du film et rendre plus facile l'application de la dernière couche. Améliorant également l'adhérence, elle « bloque » les couches en dessous pour assurer l'opacité et la régularité du fini.

Couche de finition Habituellement appliquée sur un primaire et une sous-couche, la couche de finition est la toute dernière. On utilise pour cet usage des peintures qui peuvent aller du mat au brillant, ou qui produisent une texture particulière.

Primaires pour bois

Les produits à l'huile fixent la surface et l'empêchent d'absorber les couches suivantes. Ils mettent environ 6 heures à sécher. Une deuxième couche peut être appliquée au bout de 16 heures.
Supports : bois tendres, Isorel, aggloméré, médium.

Colle acrylique/fixateur

Cet adhésif liquide universel est utilisé pour fixer et lier nombre de matériaux de bâtiment. Il lui faut 3 heures pour sécher. Une deuxième couche peut être appliquée au bout de 16 heures.
Supports : plâtre, béton, brique, pierre.

Pâte à bois

Gomme laque traditionnelle appliquée sur les nœuds du bois tendre et neuf pour empêcher les résines de suinter et altérer les couches de peinture.
Supports : bois tendres neufs.

Primaires pour bois à base d'aluminium

Ils sont utilisés pour fixer les bois durs huileux et mettent 6 heures à sécher. Une deuxième couche peut être appliquée au bout de 16 heures.
Supports : bois dur, bois tendre, contreplaqué, panneau de particules.

Antirouille

Produit utilisé pour imprimer le métal et aider à prévenir la corrosion. Il met 4 heures à sécher. Une deuxième couche peut être appliquée au bout de 16 heures.
Supports : métaux ferreux d'intérieur.

Primaires/fixateurs à l'huile
La technologie de fabrication des primaires/fixateurs à l'huile a considérablement évolué. Vous pouvez maintenant trouver des produits de grand pouvoir couvrant, qui adhèrent bien au support et sèchent rapidement – une heure suffit entre deux couches. Avec certains d'entre eux, les pinceaux se lavent à l'eau et au savon.
Supports : tous ! Ces produits ont une excellente opacité et couvrent presque toutes les taches y compris celles de nicotine, de fumée et les marques d'humidité.

Primaires/fixateurs au latex acrylique
Ce sont des produits à l'eau, de forte adhérence, respirables et qui respectent l'environnement. Ils restent souples, contrairement aux produits à l'huile qui ont tendance à devenir cassants avec l'âge. Pratiquement sans odeur, ils sèchent vite, ne posent aucun problème d'émanations ou d'inflammabilité. Les pinceaux se lavent à l'eau et au savon.
Supports : murs de pierres sèches ou agglomérés, bois, plâtre, béton ou autres surfaces poreuses, supports exigeant une odeur faible et une absence de solvants.

Primaire/fixateur à base de gomme-laque
Coûteux, ce produit se révèle utile dans de nombreux cas et imprime pratiquement tout support. Il fixe les nœuds, la résine, les taches d'eau et de fumée, les graffitis, la graisse et les moisissures. Il adhère à la surface sans ponçage préliminaire, ne s'écaille pas, mais dégage des émanations. Son séchage, très rapide, permet l'application d'une autre couche au bout de 45 minutes.
Supports : surface brûlée, par exemple (il fixe la suie et détruit les odeurs de fumée). Ce produit convient à la plupart des supports, y compris au mélaminé et au formica.

Primaire universel
Le terme de « primaire universel » prête à confusion. Il existe un produit souvent appelé « primaire universel » utilisé pour préparer le papier destiné à être peint. Le « primaire universel » dont il s'agit ici, en général à base de solvant, est utilisé pour fixer le bois et le métal. Il met 4 heures à sécher et permet l'application d'une deuxième couche au bout de 16 heures. Lisez soigneusement les instructions portées sur l'étiquette.
Supports : Isorel, bois tendres et métaux.

Primaires résistant à l'alcali
Ces produits empêchent l'alcali présent dans les matériaux tels que le plâtre, le placoplâtre et les agglomérés d'attaquer les peintures à l'huile. Ils mettent 4 heures environ à sécher mais la deuxième couche ne doit être appliquée qu'au bout de 16 heures.
Supports : plâtre, placoplâtre et agglomérés.

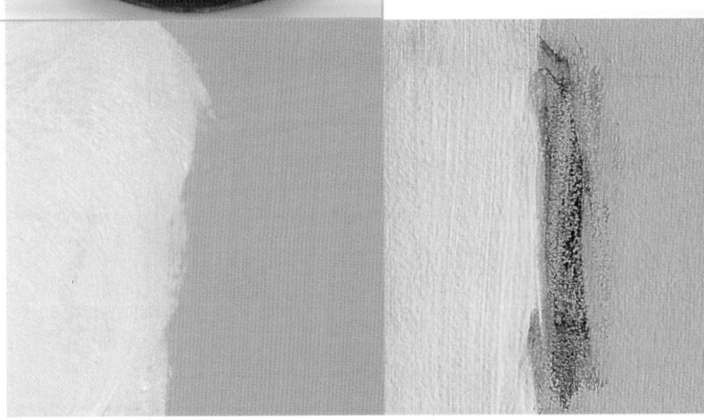

TERMES CLÉS

Primaire Produit, en général pigmenté, appliqué à une surface pour la fixer et la préparer aux couches de revêtement successives.
Fixateur Produit, en général non pigmenté, qui fixe et unifie une surface.

Primaires de stabilisation
Liquides transparents ou opaques, ils sont utilisés sur les surfaces poudreuses et mettent environ 3 heures à sécher. Attendez 16 heures pour passer une deuxième couche.

Primaire spécial taches
Primaire appliqué sur des taches (nicotine, marqueur, craies de couleur grasses et autres taches courantes) pour les empêcher de réapparaître et d'altérer la couche de finition. Peut être appliqué au pinceau mais existe aussi sous forme d'aérosol. Sèche rapidement. Suivez les instructions du fabricant pour respecter l'intervalle de temps entre deux couches.
Supports : plâtre, bois et maçonnerie.

Le bois peint en bon état peut être légèrement poncé et enduit. Mais si la peinture est abîmée, il faut décaper le support et effectuer une bonne préparation avant de le rénover.

Bois en bon état

Si une boiserie peinte est en bon état, elle n'a pas besoin d'être décapée. Préparez-la à recevoir les couches de finition :

1 Frottez avec du papier abrasif moyen jusqu'à retirer le brillant et donner au support la rugosité nécessaire pour accrocher le film couvrant.

2 Enduisez tous les trous et fissures. Attention, le produit se rétracte en séchant : s'il forme un creux, rajoutez-en un peu ; s'il dépasse du mur, poncez-le.

3 Au niveau des encadrements, enduisez tous les interstices entre le bois et la surface du mur (p. 66). Appliquez ensuite une couche de primaire acrylique (l'enduit, très absorbant, sera visible à travers la peinture si vous n'appliquez pas de primaire/fixateur).

1 2 3

Préparation des boiseries

Ponçage

Cette opération unifie les surfaces planes mais elle a tendance à aplatir les reliefs des zones ornementées – des moulures, par exemple.
Le ponçage à la main, relativement laborieux, permet de retirer de fines couches de peinture ou de vernis. Pour les grandes surfaces, enroulez un papier abrasif sur une cale pour avoir une meilleure prise.
Il existe également des accessoires de ponçage pour bois adaptables aux ponceuses électriques – elles sont pour la plupart relativement difficiles à utiliser et demandent un peu d'expérience : vous risquez d'érafler ou de creuser le support ; elles génèrent également beaucoup de poussière.

- Portez des lunettes et un masque de protection et ne frottez jamais des surfaces susceptibles d'être recouvertes de peinture au plomb (p. 26-27).

- Commencez par du papier abrasif épais.

- Lorsque la peinture ou le vernis ont été presque entièrement éliminés, passez au papier abrasif moyen.

- Si vous employez une ponceuse électrique, veillez à la déplacer constamment : si elle reste trop longtemps au même endroit, elle risque de creuser la surface.

DÉCAPEURS THERMIQUES

La chaleur dégagée par un décapeur thermique et les résidus qu'il génère peuvent causer des dégâts : veillez à votre propre protection et à celle des surfaces et meubles environnants. Écartez tous les textiles et matériaux inflammables. Assurez-vous que la pièce est bien ventilée. Pour le sol, les bâches de plastique et de tissu ne sont pas recommandées ; un grand morceau de bois dur offre une protection beaucoup plus fiable contre les résidus chimiques et chauds qui doivent être déposés dans un récipient métallique.

Les accessoires de décapage consistent essentiellement en un bec plat et un grattoir, qui existent en plusieurs tailles.

Les décapeurs thermiques – qui ressemblent aux séchoirs à cheveux – chauffent le film de peinture, qui se boursoufle, se décolle de la surface et peut ainsi être gratté. Ils ne décapent pas aussi vite qu'un chalumeau mais sont beaucoup plus sûrs. Lisez les instructions avant de commencer votre travail.

1 Tenez l'extrémité du décapeur tout près du mur, sans le toucher pour ne pas le brûler.

2 Attendez de voir la peinture se boursoufler et éliminez-la doucement à l'aide du grattoir. Faites preuve de patience et d'attention pour repérer le moment où la peinture est assez molle pour être retirée. Si vous maintenez trop longtemps le décapeur sur une même zone, la peinture peut se consumer ou s'enflammer – dans les bâtiments anciens le bois de construction est très sec. Alternez régulièrement l'application de la chaleur et le grattage en veillant à ne pas endommager le bois.

3 Placez les résidus chauds et ramollis à refroidir dans un récipient de métal.

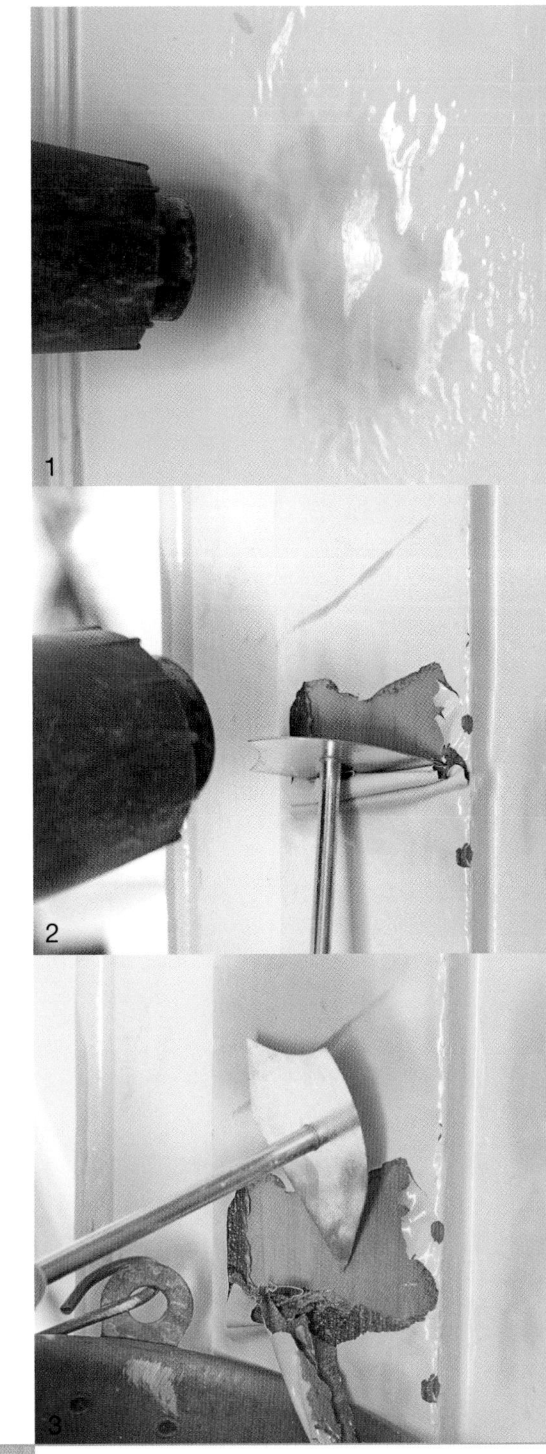

Truc

N'utilisez pas de décapeur thermique à proximité de surfaces en verre, qui craqueraient sous l'effet de la chaleur. Des gardes peuvent être adaptées à l'appareil, mais si vous avez besoin d'éliminer de la peinture sur des espagnolettes, par exemple, préférez un décapant chimique.

POINTS CLÉS

Le bois en bon état peut être poncé et enduit avant d'être repeint.
Décapage mécanique Passez un papier abrasif à gros grain puis à grain moyen qu'il s'agisse d'un ponçage manuel ou électrique.
Peinture au plomb Ne poncez pas une peinture pouvant contenir du plomb (voir p. 26-27).
Décapeurs thermiques Très efficaces. Pratiquez le décapage sur une petite zone peu visible avant de vous attaquer aux grandes surfaces.
Protégez ce qui vous entoure avant le décapage chimique ou thermique.

SANTÉ ET SÉCURITÉ

Décapeurs thermiques
Gardez un petit extincteur à portée de main. Il est de toute façon conseillé d'en avoir un chez soi.

Utilisez un appareil à double isolement. Les normes de sécurité actuelles réglementent la sécurisation des appareils.

Votre décapeur thermique peut s'arrêter tout seul après une utilisation prolongée : il est en surchauffe, laissez-le refroidir avant de poursuivre votre travail.

DÉCAPANTS CHIMIQUES

Décapants à base de solvants La plupart des décapants contiennent des solvants et agissent par dissolution du lien bois-peinture. Le chlorure de méthylène entre dans la composition de nombreux produits qu'il rend inflammables : vérifiez l'étiquette.
Décapants caustiques À base d'alcalis caustiques, ils réagissent avec la peinture et la décollent de la surface. Ils ont tendance à foncer le bois, à décoller les fibres et peuvent, en outre, causer des brûlures sévères et être toxiques en cas d'ingestion.
Décapants « écologiques » Dégageant souvent une odeur d'agrumes… mais peuvent néanmoins être dangereux. Comme pour les autres décapants chimiques, mettez des vêtements protecteurs et travaillez dans un endroit bien ventilé.

SANTÉ ET SÉCURITÉ

- Lisez et respectez les conseils de sécurité et les instructions du fabricant.
- Protégez-vous à l'aide de vêtements, de lunettes et d'un masque respiratoire. Évitez tout contact du produit avec la peau. En cas d'éclaboussures, lavez immédiatement la zone atteinte avec du savon et de l'eau.
- Utilisez des gants résistant aux produits chimiques : vous les trouvez dans les magasins de bricolage et leur usage est indiqué sur l'emballage. Les gants de ménage en caoutchouc n'offrent pas une protection suffisante.
- Travaillez dans un espace bien ventilé : ouvrez toutes les portes et fenêtres pour créer des courants d'air. Ne respirez pas les vapeurs du produit.
- N'utilisez jamais de matériel inflammable près d'une source d'étincelles, de flammes ou de chaleur intense.
- Jetez le surplus de produit selon les instructions du fabricant.
- Évitez de manger, de boire et de fumer en cours de travail.
- Si vous avez des étourdissements, sortez pour respirer de l'air frais et assurez-vous que votre masque respiratoire fonctionne correctement.

Gels et liquides décapants

1 Versez le décapant dans un récipient de métal – le plastique risquerait de fondre. Appliquez-le sur la surface en couche aussi épaisse et régulière que possible. Employez de vieux pinceaux pour décoller la peinture et jetez-les après usage.

2 Utilisez une vieille brosse à dents pour faire pénétrer le décapant sur de petites zones et dans les recoins des moulures décoratives.

3 Lorsque la peinture a ramolli et commence à se racornir, retirez-la avec un grattoir – c'est le décapant qui doit faire le travail, pas l'outil. Si la peinture se retire difficilement, appliquez de nouveau le décapant. Nettoyez régulièrement le grattoir en essuyant la lame sur un chiffon ou du papier journal.

Il est alors temps de neutraliser la surface de bois décapée.

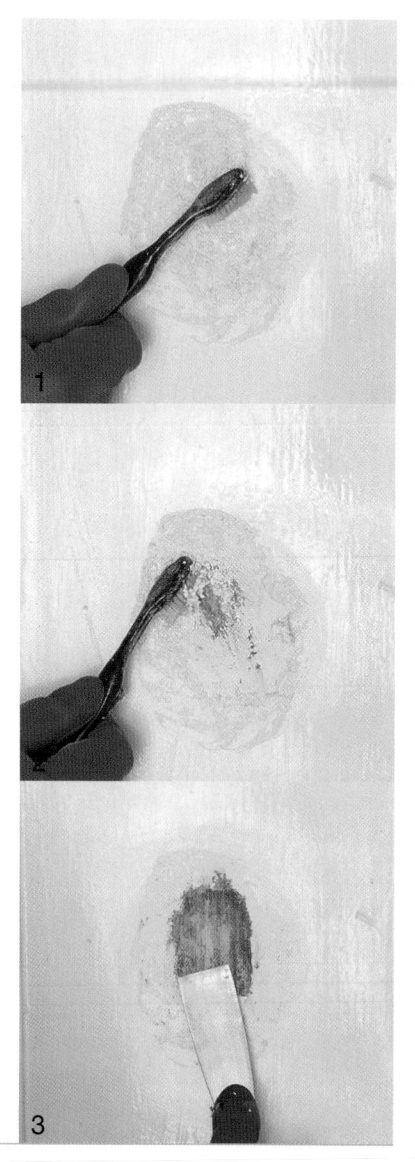

Neutralisation

Les surfaces décapées chimiquement doivent être neutralisées avant de recevoir la peinture qui sinon risque de se boursoufler ou de ne pas adhérer correctement à son support. L'agent de neutralisation à utiliser, qui dépend du produit chimique employé, est indiqué par le fabricant sur l'étiquette. S'il s'agit de l'eau, sachez qu'elle peut décoller les fibres du bois. Quand cela se produit, laissez bien sécher la surface décapée et poncez-la légèrement avant de peindre.

1 Après avoir mis des gants protecteurs, utilisez des chiffons ou une éponge propres imbibés de l'agent neutralisant pour éliminer les résidus de décapant et ceux du revêtement éliminé.

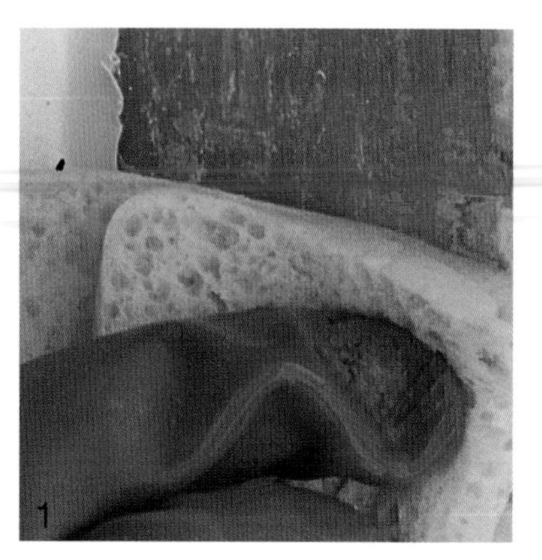

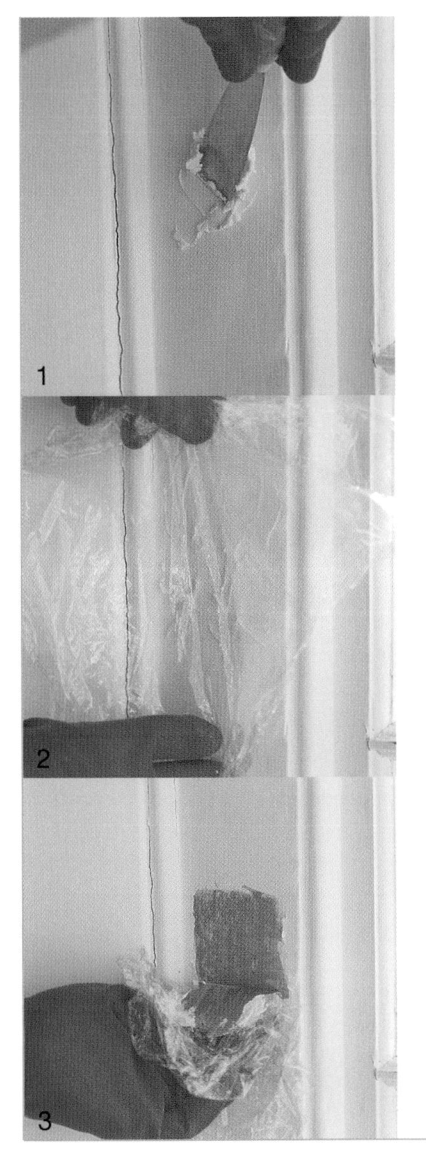

Pâtes décapantes

Les pâtes décapantes se présentent sous forme de poudres auxquelles on ajoute de l'eau ou sous forme de pâtes prêtes à l'emploi. Elles agissent lentement, mais sont idéales pour les zones délicates telles que les moulures ornementées, ou pour les surfaces recouvertes de couches de peinture superposées.

1 Appliquez la pâte en utilisant un grattoir ou un couteau de vitrier : recouvrez la zone à décaper d'une couche épaisse du produit.

2 Certaines pâtes doivent être ensuite recouvertes de film étirable ou de plastique, tandis que d'autres sont déjà appliquées sur un film. Il faut parfois laisser agir ces produits d'action lente jusqu'à 24 heures. Suivez les instructions du fabricant.

3 Éliminez la pâte à l'aide d'un grattoir ou en soulevant le film qui y adhère, selon le cas.

Truc

De grands éléments amovibles comme les portes ou des meubles peuvent être envoyés à une entreprise qui se chargera de les tremper dans un décapant et d'éliminer les résidus. Toutefois, les produits utilisés, très puissants, peuvent altérer la colle qui assemble les différentes parties. Laissez sécher longtemps les objets qui ont subi ce traitement, car ayant été imbibés, ils peuvent se déformer ou se craqueler.

POINTS CLÉS

Décapants chimiques Ils sont dangereux : protégez-vous et assurez-vous d'une bonne ventilation. Ne fumez pas en travaillant.
Zones ornementées Les décapants chimiques, surtout sous forme de pâte, sont idéaux pour les recoins.
Neutralisez l'action des décapants chimiques sous peine de compromettre le résultat final.
Protégez les surfaces voisines avant d'utiliser un décapeur thermique ou un décapant chimique.
Primaire Appliquez un primaire avant de peindre le bois nu.

2 Toute peinture incrustée peut être enlevée avec de la laine d'acier. Attention à ne pas érafler la surface si vous voulez lui donner une finition naturelle.

3 Si vous utilisez de l'eau pour neutraliser le décapant, elle peut décoller les fibres du bois. Quand cela se produit, laissez bien sécher la surface et poncez-la légèrement avant d'appliquer la peinture.

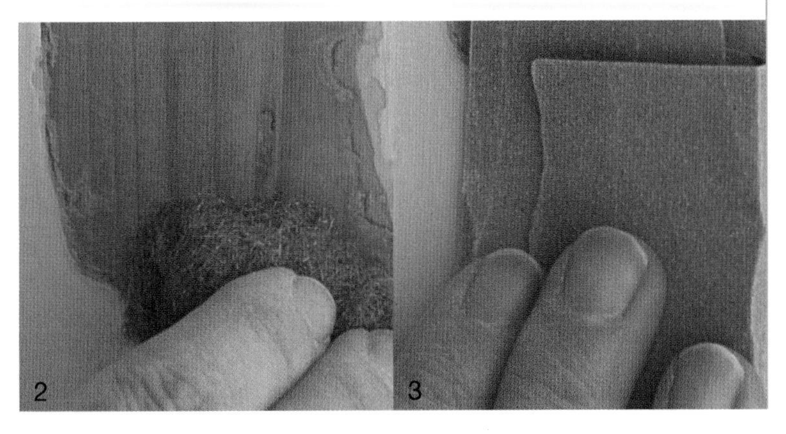

Préparation du bois nu

Une fois la peinture éliminée et la surface neutralisée, vous devez préparer le bois à recevoir la peinture.

Ponçage et enduits

- Assurez-vous qu'aucun clou ne dépasse. S'il y en a, utilisez un chasse-clou et un marteau pour les enfoncer sous la surface.
- Utilisez une cale à poncer ou du papier abrasif moyen pour un ponçage grossier, en travaillant dans le sens des fibres.
- Enduisez toutes les fissures ou trous avec un enduit spécial bois. Enduisez abondamment car le produit se rétracte en séchant.
- Lorsque l'enduit est sec, poncez la zone concernée avec du papier abrasif moyen, puis du papier fin.
- Tous les nœuds doivent être recouverts de pâte à bois, pour ne pas traverser la couche de finition.

Impression du bois nu

Lorsque le bois est enduit, poncé et que les nœuds sont recouverts, il faut fixer la surface. Un primaire acrylique est idéal (les primaires à l'huile mettent plus longtemps à sécher et leurs émanations sont fortes). Appliquez-le sur le support et faites pénétrer avec un pinceau.

Préparation pour une finition naturelle

Si vous désirez mettre naturellement en valeur la couleur et la texture du bois en appliquant une cire, un vernis ou une teinte, poncez la surface pour la lisser mais utilisez un enduit spécial. Les pâtes à bois et primaires ne sont pas adaptées à des finitions naturelles.

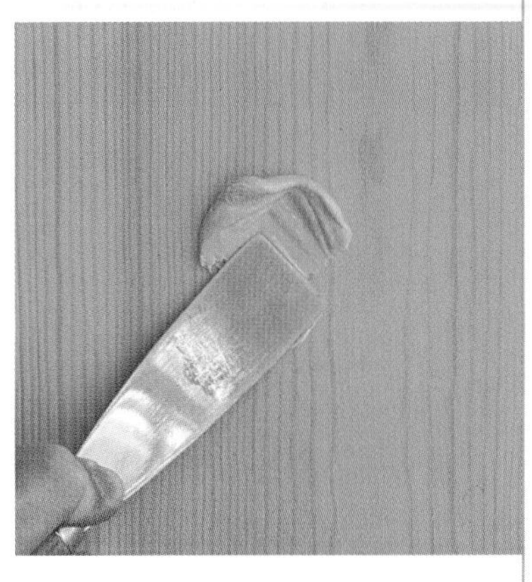

Que les maisons soient anciennes ou neuves, les murs et les plafonds comportent trous et fissures qu'il vous faut combler avec l'enduit adéquat pour obtenir la finition souhaitée.

LES DIFFÉRENTS ENDUITS

Les fabricants facilitent les choses au bricoleur novice. Les enduits traditionnels pour bois et pour plâtre sont aujourd'hui complétés par un éventail de produits nouveaux, conçus pour des applications particulières. La plupart d'entre eux sont faciles à utiliser si vous lisez – et suivez – les instructions. Il existe des enduits à séchage rapide, des enduits fins de lissage et des enduits flexibles pour zones sujettes à dilatation et à contraction. Des enduits liquides, transforment une surface de béton ou de pierre en un support plat et lisse. Des formules ont été élaborées pour le bois et le plastique. Inspectez les surfaces pour y déceler des fissures et choisissez le produit qui convient. Appliquez-le en suivant soigneusement les instructions. Ce travail vous prendra plus de temps qu'à un professionnel, mais avec de la patience et un peu d'attention, vous obtiendrez d'excellents résultats.

Enduit flexible de décorateur
Enduit universel pour zones soumises à vibrations : encadrements de portes et fenêtres, par exemple. Peut peint.

Réparer
et enduire

Enduit universel
Sous forme de poudre ou de pâte, imperméable et flexible, il est utilisé sur les façades extérieures.

Joint acrylique
Présenté en tube, il est conçu pour être utilisé avec un pistolet à cartouche. Comble les fissures dans des zones soumises à vibrations : entre les encadrements de portes et de fenêtres et la maçonnerie, par exemple. Souple et non durcissant, il peut être peint au bout de 4 heures. Doit être lissé avec une éponge humide.

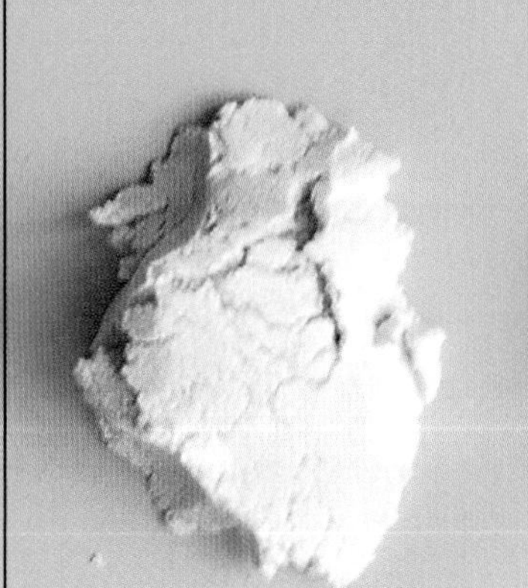

Enduit de gros rebouchage
Remplit des trous allant jusqu'à 20 mm de profondeur en une seule application, sur toutes surfaces.

Enduit de finition
En tube, prêt à l'emploi, il est utilisé pour les petites imperfections et le lissage des surfaces rugueuses. Peut être poncé pour faire disparaître les bords apparents. Remplit des creux et fissures de 20 mm de profondeur.

Enduit flexible à bois
Souple, résistant à l'eau et pouvant être teinté, cet enduit est très performant. Utilisez-le sur les plinthes et les encadrements de portes et de fenêtres.

Enduit de rebouchage
Le plus courant et économique des enduits est celui à base de cellulose et de plâtre. Sous forme sèche, il se conserve indéfiniment, ce qui vous permet d'en avoir en réserve. Il adhère bien, ne se rétracte pas en séchant, peut être poncé et sèche en 1 heure environ. Contrairement aux enduits souples, il ne doit pas être utilisé sur des surfaces soumises à vibrations. Employez-le pour des fissures dans le placoplâtre, la maçonnerie, le bois et la faïence. Conservez-le hors humidité et moisissures.

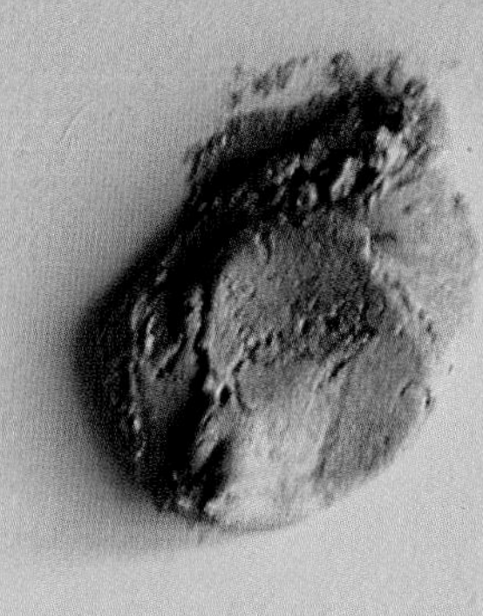

Enduit résistant à l'eau
Ce produit souple et résistant à l'eau est idéal pour les salles de bain et cuisines.

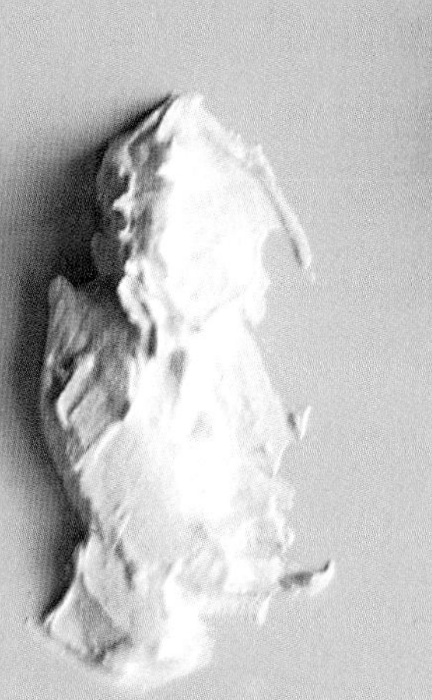

Enduit pour fissures fines
Comble durablement des fissures fines. Sèche en 10 minutes.

Mousse de polyuréthane
Produit de rebouchage et d'isolation qui se dilate jusqu'à 60 fois son volume. Utilisez-le pour combler des trous irréguliers. Après dilatation, araser les boursouflures au cutter. Très adhérent, il sèche vite, ne se rétracte pas et se laisse bien poncer. Ses qualités isolantes lui permettent de bloquer les courants d'air. Il peut être enduit avant d'être peint.

Enduit d'application unique, prêt à l'emploi
Présenté en tube, il répare les dommages des plâtres en comblant les trous et en s'insinuant jusqu'à 50 mm de profondeur en une seule application.

Enduit intérieur prêt à l'emploi
Identique à l'enduit intérieur tous usages, il présente l'avantage d'être prêt à l'emploi, sous forme de tube.

Enduit de lissage
Prêt à l'emploi, il sert à unifier les surfaces de plâtre rugueuses ou inégales. Très adhérent, il peut être lissé pour donner une belle finition.

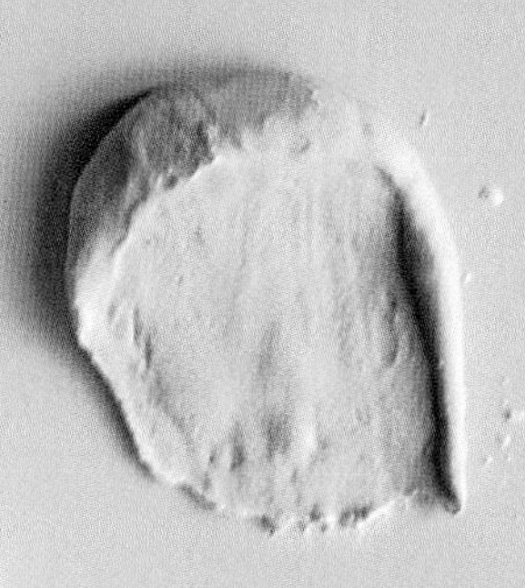

Plâtre de réparation
Présenté en poudre, il sert en général à reboucher de petites zones de plâtre endommagé. Peut être poncé et peint dans la teinte du plâtre existant. Son séchage complet s'effectue en 8 jours au moins.

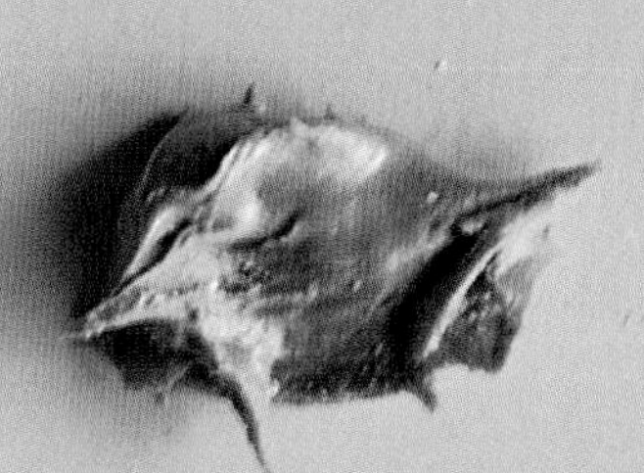

Pâte à bois
Pâte adhésive disponible dans plusieurs teintes naturelles. À utiliser sur du bois qui doit être verni plutôt que peint.

Pâte de réparation du bois
Bi-composant (résine époxyde et durcisseur), elle est solide et résistante : idéale pour les encadrements de fenêtres abîmés.

Mastic à bois
Cette pâte, appliquée au couteau, est étalée et enfoncée dans les trous divers. Poncez après le temps de séchage indiqué. Pouvant être teinté de la même couleur que le bois, il ne s'utilise que sur de petites zones.

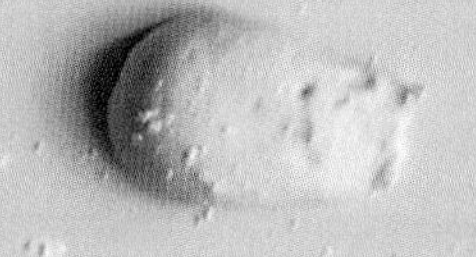

Joints entre murs et boiseries

Les liaisons entre les murs et les encadrements de portes et de fenêtres présentent souvent des fissures importantes. Le bois tend à se dilater et à se rétracter avec les changements de température et d'humidité – processus particulièrement fréquent dans les maisons dotées d'un chauffage central.

Choisissez un mastic souple lorsque vous devez fixer deux matériaux comme le plâtre et le bois ; vous pouvez aussi appliquer une pâte à bois flexible ou un joint acrylique.

1 Coupez l'embout de la canule, appliquez-en l'extrémité sur la fissure et actionnez le pistolet en déplaçant la canule le long de la fissure. Le produit doit toucher les deux bords pour combler le trou.

2 Utilisez des bandes de polystyrène ou de bois pour recouvrir les larges fissures avant l'application du mastic. Passez un doigt humide sur le mastic pour l'enfoncer dans le trou et créer une finition nette. N'appuyez pas trop fort et méfiez-vous des zones tranchantes et des échardes.

Trous dans les cloisons plâtrées

Lorsqu'ils sont vieux, les murs de plâtre ont tendance à se détacher des lattes, et les lattes cassent ou se disjoignent.

- Si les lattes sont intactes et stables, recouvrez-les de colle acrylique et laissez-les sécher.
- Si elles sont cassées, achetez du métal déployé (sorte de grillage fin) que vous trouvez chez les bons vendeurs de matériaux de bâtiment. Ce fin grillage peut être coupé à la bonne taille, enroulé sur les lattes cassées et accroché aux clous.
- Comblez le trou avec du plâtre en suivant les étapes de 2 à 5 du paragraphe « Grands trous dans des murs solides » (ci-contre).

Gros trous dans des murs solides

Les murs de brique ou de pierre de taille sont plus stables et moins sensibles aux vibrations que les murs à cloison lattées et plâtrées ou les cloisons de placoplâtre. En général, les fissures et trous de ces parois peuvent être bouchés avec des enduits non flexibles – utilisez du plâtre de rebouchage pour les trous importants.

1 S'il y a une zone de plâtre endommagée, employez un grattoir pour éliminer toute partie friable et, ainsi, laisser un trou net pouvant être enduit correctement.

2 Remplissez le trou de plâtre de rebouchage en suivant les instructions : dans un récipient propre, mélangez le plâtre à l'eau. Humidifiez la zone à réparer avec une éponge. À l'aide d'une truelle, introduisez le plâtre dans le trou et poussez-le bien pour qu'il adhère étroitement à la paroi.

3 À l'aide de la truelle ou d'un morceau de bois, éliminez l'excès de produit, puis laissez durcir le plâtre.

4 Lorsque le plâtre est presque entièrement dur, pulvérisez de l'eau et lissez avec la truelle. La finition doit être plane et parfaitement à niveau avec la surface de la paroi.

5 Utilisez un enduit fin de surface autour de la réparation. Laissez sécher. Poncez avec un papier abrasif fin.

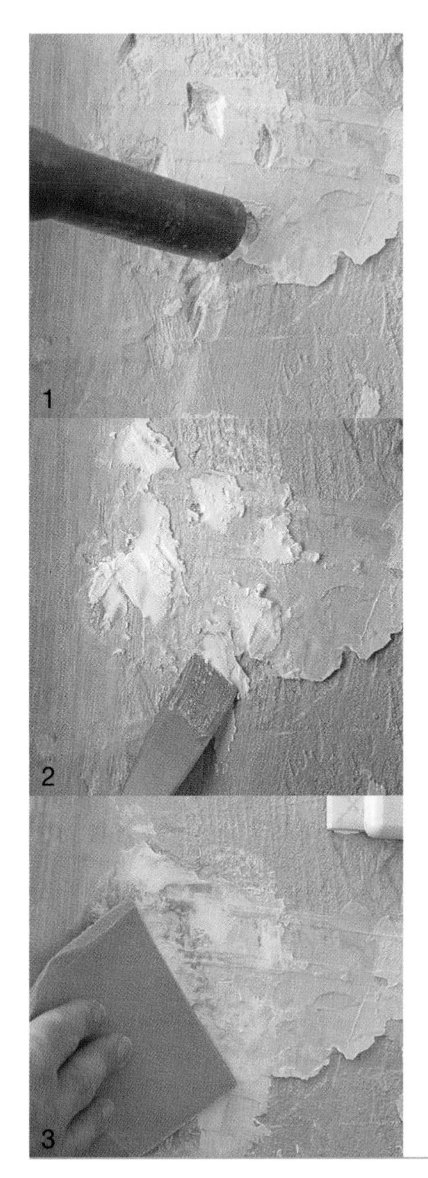

Petits trous dans murs solides plâtrés

Les petits trous doivent être bouchés avec un enduit intérieur prêt à l'emploi, en suivant les instructions du fabricant.

1 Éliminez toute trace de poussière et de débris en passant l'aspirateur sur la paroi : une surface sans poussière est indispensable pour une bonne adhérence.

2 À l'aide d'une truelle, introduisez une quantité généreuse d'enduit dans le trou – il doit dépasser de la surface. Laissez-le sécher.

3 Lorsque l'enduit est complètement sec, poncez le surplus à ras de la surface. Ôtez la poussière avant d'appliquer le primaire qui va préparer le support pour la peinture.

Petits trous dans le placoplâtre

Le placoplâtre, fragile, est facilement éraflé ou abîmé, mais ces petits dommages sont aisés à réparer.

- Poncez soigneusement la surface afin de la rendre assez rugueuse pour accrocher l'enduit. Utilisez du papier abrasif à gros grain enroulé autour d'une cale à poncer. Pour les plus grandes surfaces, servez-vous d'une ponceuse électrique.
- À l'aide d'un couteau à enduire, remplissez généreusement les trous d'un enduit intérieur prêt à l'emploi en veillant à ce qu'il dépasse de la surface. Laissez sécher.
- Lorsque le plâtre est complètement sec, poncez l'excès d'enduit à ras de la surface.

Fissures dans le plafond

Des fissures apparaissent souvent dans les vieux plafonds de plâtre ou de lattes, comme dans les plafonds récents de placoplâtre – au niveau des joints. Ces surfaces étant sensibles aux vibrations, les fissures s'écartent et se rapprochent, descellant ainsi les enduits ordinaires. Pour les petites fissures, appliquez une émulsion souple spéciale pour plafonds. Attention, ces produits ont un temps de séchage très long.

TERMES CLÉS

Latte Fine baguette de bois. Avant 1920, les murs de plâtre avaient un support de lattes.
Placoplâtre Plaques de plâtre coulé entre deux feuilles de carton servant de matériau isolant. Il existe du « placo » hydrofuge, coupe-feu ou pour isolation phonique.
Cloisons lattées et plâtrées. Dans les maisons anciennes, un treillis de lattes constituait le support de la couche de plâtre. Aujourd'hui on adapte les plaques de placoplâtre sur un support métallique.

Grands trous dans le placoplâtre

1 Découpez nettement les bords du trou pour les rendre bien nets. Coupez un morceau de placoplâtre un peu plus grand que le trou, vissez au centre une vis de 50 mm de long et appliquez de la colle de bâtiment sur le contour.

2 Poussez le « morceau de réparation » à travers le trou en utilisant la prise que vous donne la vis pour l'ajuster derrière la cloison. Assurez-vous que la colle adhère bien – maintenez le morceau en place jusqu'à ce qu'elle prenne bien.

3 Lorsque la colle est complètement sèche, retirez la vis. Recouvrez la réparation de colle acrylique. Bouchez le trou avec du plâtre de rebouchage. Suivez les étapes de 2 à 4 du paragraphe « Grands trous dans les murs de plâtre solides », page ci-contre.

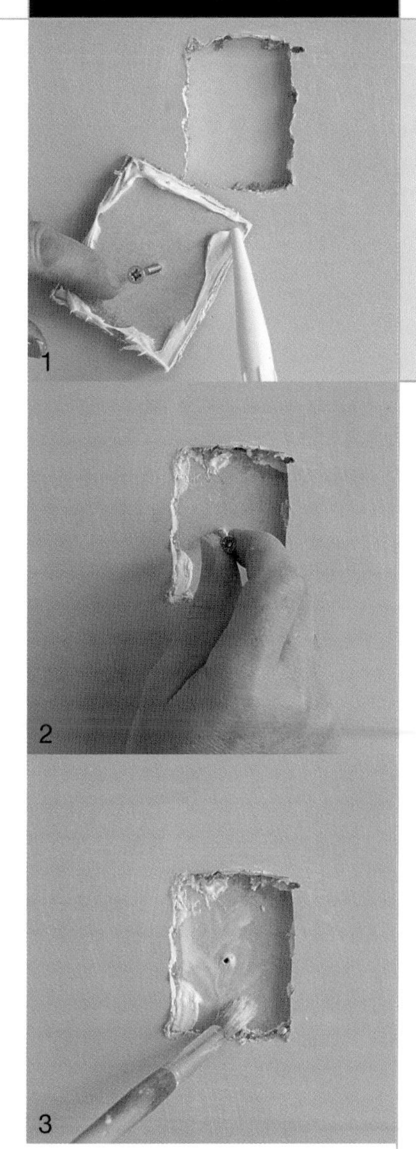

TECHNIQUES DE PEINTURE

La peinture demande quelques connaissances et un peu d'adresse. Sa réussite consiste à trouver le bon outil pour la tâche à accomplir, et à lui laisser faire le travail. Ne vous épuisez pas. Si l'exécution vous paraît trop difficile, c'est que vous n'avez pas le bon accessoire ou, si vous l'avez, que vous ne l'utilisez pas comme il faut. Entraînez-vous avec les différents éléments : brosses, tampons, rouleaux, pistolets ou bombes pour trouver celui qui vous convient le mieux. Il existe une foule de petits « trucs » qui peuvent vous aider à obtenir un bon résultat avec un minimum de difficulté. Par exemple, tous les peintres professionnels savent que le fait de tremper l'extrémité d'un pinceau dans un peu de diluant et de l'essorer avant de le charger de peinture permet à celle-ci de s'étaler plus aisément. Avec un peu d'expérience vous acquerrez rapidement le bon coup de main et vous découvrirez que peindre votre intérieur est relativement simple et plaisant.

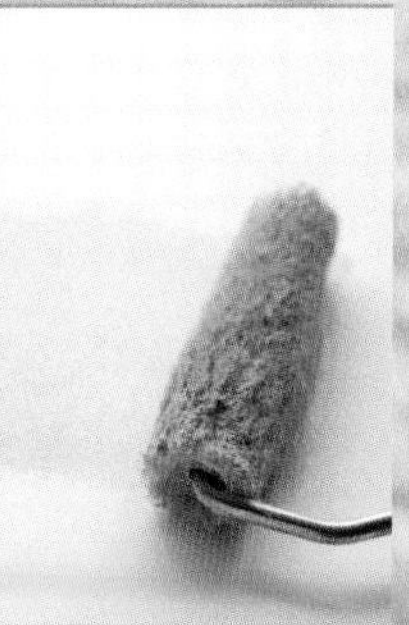

Prenez votre temps et procédez étape par étape : vous commencerez à vous sentir plus à l'aise et vous trouverez le rythme qui vous permettra de travailler avec régularité et efficacité.

Avant de commencer

Avant d'utiliser une brosse, incurvez les poils sur votre paume. Quand ils sont raides, rincez-les au white-spirit ou avec un substitut de la térébenthine si vous devez peindre à l'huile, à l'eau si vous devez peindre à l'eau.

Au tout début de votre travail, « imprimez » la brosse avec le diluant approprié : white-spirit ou substituts de térébenthine pour la peinture à l'huile, eau pour la peinture à l'eau. Trempez l'extrémité des poils dans le liquide – ne les imbibez pas entièrement. Essorez-les en les appuyant sur le rebord du récipient ou essuyez-les avec un linge ou un essuie-tout. Cette précaution vous permettra de mieux étaler la peinture et de nettoyer le pinceau plus facilement.

Peindre à la brosse

Truc

Frottez-vous les mains avec un peu de vaseline avant de commencer à peindre : elles seront plus faciles à nettoyer.

Truc

Utilisez des brosses neuves pour les primaires et sous-couches – si elles perdent leurs poils, vous pourrez éliminer ces derniers par ponçage. Réservez les brosses déjà utilisées aux couches de finition. Ne jetez pas vos pinceaux très usagés ou abîmés ; gardez-les pour appliquer de la colle acrylique, des produits imperméabilisants ou des décapants chimiques.

TERMES CLÉS

Diluant Liquide ajouté à la peinture pour la rendre moins épaisse afin que son application soit plus aisée. Pour les peintures à l'eau, c'est de l'eau ; pour celles à l'huile, le white-spirit ou la térébenthine.

Imprimez la brosse avec le diluant approprié pour que la peinture s'étale plus aisément et que le pinceau soit plus facile à nettoyer.

CHARGEMENT DE LA BROSSE

Certaines peintures doivent être soigneusement remuées et diluées avant d'être utilisées ; pour d'autres, ce n'est pas le cas – suivez les instructions du fabricant. Versez le produit dans un seau. Trempez les poils sur un tiers seulement de leur longueur dans le pot – si vous les enfoncez davantage, la brosse sera trop imbibée. Tapotez-les ensuite contre l'intérieur du pot pour en éliminer l'excès de peinture.

COMMENT TENIR LA BROSSE

Bien tenir son outil rend l'application beaucoup plus facile, mais des brosses différentes ne manient pas toutes de la même façon.

Grosse brosse
Tenez le manche d'une grosse brosse avec tous vos doigts si vous peignez une zone comprise entre le sol et vos hanches.

Il est parfois préférable de tenir la virole pouce à l'arrière, autres doigts sur le devant du pinceau, surtout si vous peignez au-dessus de vos hanches.

Brosse moyenne
Tenez une brosse moyenne par la virole, le pouce posé sur l'arrière du pinceau et l'index, le majeur et l'annulaire sur le devant.

Petite brosse
Tenez une petite brosse par la virole, le pouce posé sur l'arrière du pinceau et l'index sur le devant.

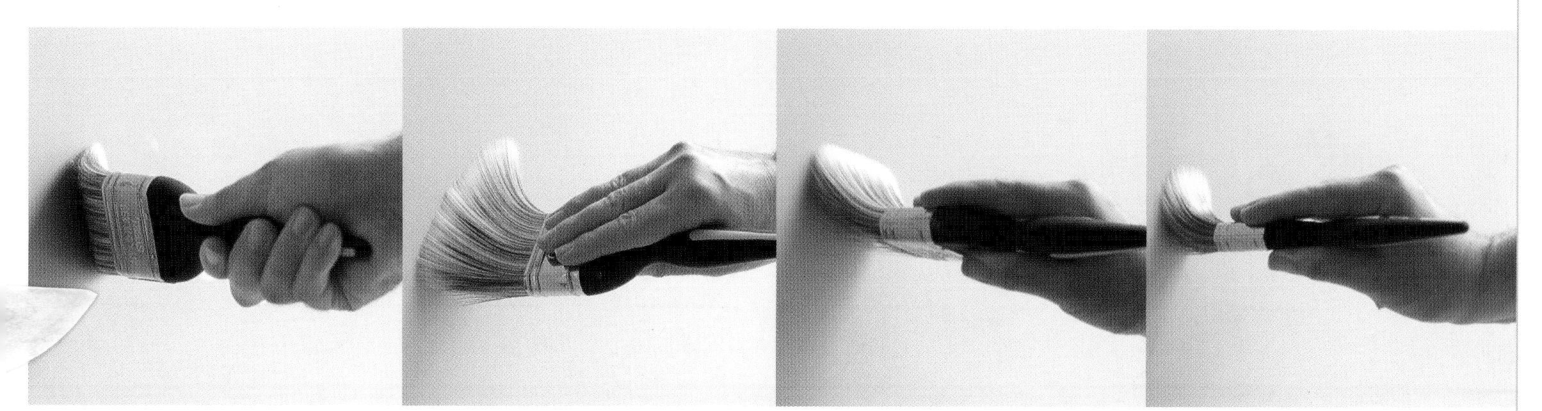

APPLICATION SUR UN MUR

Choisissez la brosse la plus grande qui vous paraisse confortable – trop grosse, elle deviendra vite lourde et fatigante. Tenez la fermement, sans l'agripper – si vous crispez les doigts, vos muscles deviendront douloureux ce qui compromettra votre aisance et donc la qualité de votre travail. Appliquez la peinture en utilisant le plat de la brosse et de façon à n'incurver que l'extrémité des poils ; n'essayez pas de faire pénétrer le produit, laissez l'outil remplir son office et croisez les coups de pinceau, sur une petite zone à la fois, en veillant à ne pas laisser de marques.

Truc

Si la peinture pénètre sous la virole de la brosse, arrêtez-vous et nettoyez celle-ci avant de continuer (p. 38). Le pinceau restera « frais » et le produit s'étalera aisément.

Truc

Pour nettoyer vos brosses, vous pouvez utiliser un produit spécialement conçu pour cela, conjointement à un diluant.

Unifier la peinture

C'est le processus par lequel on lisse et égalise la peinture pour en éliminer toute marque de brosse. Les peintures à l'eau sèchent vite ; il vous faut donc travailler sur une zone limitée et unifier le film tant qu'il est encore humide. Sans recharger le pinceau, frottez la zone peinte avec l'extrémité des poils afin d'obtenir une finition bien régulière. Ne repassez pas sur des endroits en partie secs car vous allez décoller la peinture et laisser des marques.

Pas de panique

Si les choses tournent mal (ce qui arrive) ne vous abandonnez pas à la panique et au découragement. Il y a toujours une solution.

Coups de pinceau apparents

Si votre film paraît inégal ou comporte des marques, unifiez-le du mieux que vous pouvez puis laissez sécher. Lorsque la peinture est complètement sèche, poncez-la légèrement avec un papier abrasif fin. Éliminez la poussière avec un linge humide ou un chiffon qui retient la poussière, puis repeignez si nécessaire.

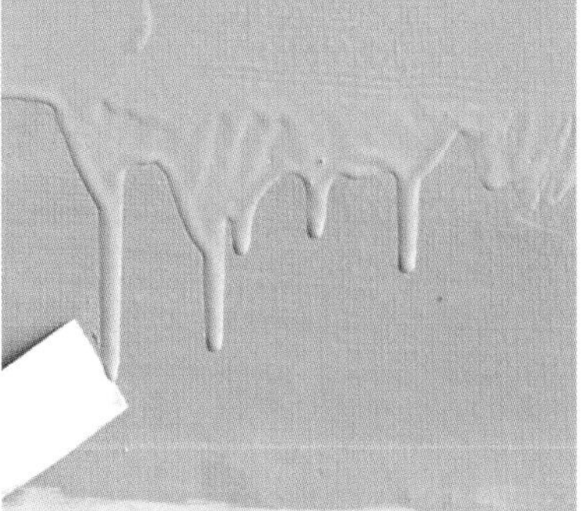

Poussière

Si de la poussière s'est incrustée dans la couche de finition, laissez la peinture sécher complètement ; frottez la surface avec un papier abrasif fin ; essuyez avec un linge humide, et repeignez.

Coulures

Utilisez un grattoir bien aiguisé pour racler les coulures. Frottez ensuite légèrement la zone concernée avec du papier abrasif fin ; essuyez la poussière avec un chiffon humide et repeignez.

APPLICATION SUR DU BOIS

Peinture à l'huile

Avec la laque à l'huile, finition traditionnelle des boiseries telles que les portes, les fenêtres, et les encadrements, vous pouvez utiliser une brosse en soies naturelles ou synthétiques. Sur de larges surfaces telles que les portes ou les panneaux, appliquez la peinture légèrement dans tous les sens, puis unifiez en alternant les passages horizontaux et verticaux et en terminant par des coups de pinceau de bas en haut pour éviter les coulures – éliminez ces dernières tant que la peinture est encore bien humide. De temps en temps, frottez les deux côtés du pinceau sur une zone non encore peinte. Travaillez rapidement pour éviter que certaines zones ne sèchent trop vite mais ne vous précipitez pas.

Peinture à l'eau

La peinture acrylique à l'eau devient de plus en plus prisée pour les boiseries intérieures telles que les portes et les fenêtres ; appliquez-la à l'aide d'une brosse synthétique, en croisant les coups de pinceau. Elle ne laisse pas de marques comme le fait la peinture à l'huile et provoque également beaucoup moins de coulures. Pour unifier le film, croisez les coups de brosse – il faut que l'extrémité des poils touche à peine la surface et que la finition soit lisse et régulière.

POINTS CLÉS

Soies naturelles ou synthétiques ? Elles conviennent toutes deux pour peindre à l'huile sur du bois. •
La laque acrylique s'applique sur du bois avec une brosse synthétique.
Évitez les coulures en appliquant les touches finales de bas en haut.
Pratiquez votre technique sur des chutes de bois afin de voir comment réagit la peinture au contact du support.
Fenêtres Utilisez des pinceaux de 6 à 25 mm pour les montants et les crémones, et une fine brosse à réchampir pour les petits bois.

Astuces de pro

Les peintres professionnels ont élaboré des méthodes qui économisent du temps et des efforts, tout en garantissant les meilleurs résultats. Si vous mettez ces « trucs » en pratique, vous constaterez que la peinture s'applique plus aisément et que vous obtenez sans peine un fini « professionnel ».

- **Incurvez les poils** du pinceau dans votre paume : cela libère les poils mal collés et assouplit l'extrémité des autres.
- Utilisez la brosse l**a mieux adaptée** à votre tâche – choisissez la largeur du pinceau en fonction de la surface à couvrir. Entraînez-vous et trouvez l'outil qui permet d'appliquer le plus de peinture avec le minimum d'effort.
- Pour les bords, faites **osciller** le pinceau avec de petits mouvements en frôlant la lisière afin d'obtenir un tracé bien net.
- **Il ne faut ni frotter ni pousser** le pinceau sur la surface à peindre. Tenez-le fermement et laissez les soies faire le travail.
- Donnez des **coups de pinceau réguliers** en soulevant doucement l'extrémité des poils, sans les secouer.
- **Ne cognez pas** la surface avec le pinceau afin d'éviter éclaboussures, coulures et irrégularités.
- **Passez** de temps en temps les deux faces du pinceau sur une zone non peinte pour éliminer la peinture en ex éviter l'engorgement des p
- Les apprentis peintres devaient autrefois apprendre à travailler avec chaque main, pour épargner leurs forces et pouvoir peindre plus longtemps. Il est pratique de pouvoir **changer de main** quand vous vous tenez sur un escabeau, car cela vous permet de le déplacer moins souvent. Si vo beauc

trop les membres, vous maîtrisez moins vos mouvements et vous vous fatiguez plus vite. Pour peindre une zone élevée, prenez un escabeau. Pour travailler près du sol, mettez-vous à genoux en utilisant un coussin, si nécessaire.

- Les longs manches des blaireaux ronds peuvent être encombrants dans des

Les rouleaux sont des outils appréciés des bricoleurs. Ils couvrent de grandes surfaces très rapidement, sont relativement faciles à utiliser et permettent de peindre avec plus de facilité le haut des murs et les plafonds.

Préparation du rouleau

Avant leur utilisation, tous les manchons en mohair ou en fibre synthétique doivent être trempés dans le diluant de la peinture utilisée. Cette précaution évite ensuite aux mèches de s'engorger et améliore l'étalement du produit; l'application devient plus facile et l'outil gagne en performance.

Si vous utilisez une peinture à l'eau, rincez le manchon à l'eau. Pressez-le sur toute la longueur afin d'en éliminer l'excès de liquide, puis faites-le tourner – en le tenant à l'intérieur d'un seau pour éviter les éclaboussures.

Si vous utilisez une peinture à l'huile, rincez-le au white-spirit en l'essorant et en le faisant tourner comme indiqué ci-dessus. Assurez-vous qu'il n'y a aucune cigarette allumée ou flamme nue alentour, car ce diluant est très inflammable.

Les manchons de laine de mouton contiennent beaucoup d'huiles naturelles qui recouvrent les fibres et aident la peinture à s'étaler. Ils n'ont pas besoin de préparation particulière.

Peindre au rouleau

Truc

Enveloppez votre rouleau dans un sac en plastique pour la nuit. S'il fait chaud, mettez-le au réfrigérateur.

Chargement du rouleau

1 Versez la peinture dans un bac au tiers de sa hauteur. Trempez-le rouleau dans le réservoir et imbibez-le en le faisant tourner plusieurs fois sur la surface de la peinture.

2 Faites rouler le manchon sur les aspérités du bac afin de répartir régulièrement la peinture tout en éliminant le produit en excès.

Peinture des murs

Les rouleaux sont parfaits pour peindre rapidement les grandes surfaces planes comme les murs et les plafonds. Toutefois, ils laissent une texture légère – plus visible sur les couleurs claires ou sur les surfaces très lisses.
Les rouleaux ne peuvent accéder aux angles des murs ou aux bords de moulures. Utilisez un pinceau pour peindre ces endroits nécessitant un travail plus net et précis. N'opérez que sur une petite section à la fois, car il faut que les angles soient encore humides lorsque vous passez le rouleau sur la surface voisine, afin que le raccord ne soit pas visible.

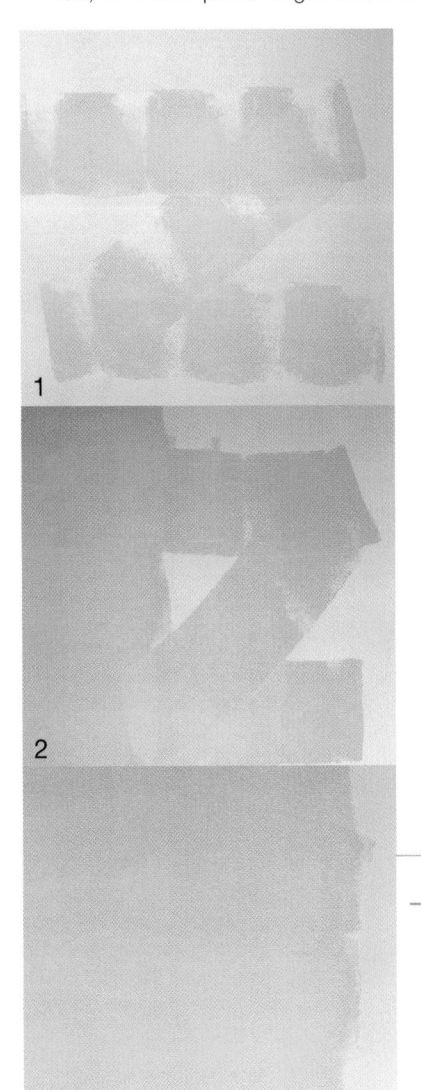

1 Imbibez le rouleau de peinture, appliquez-le sur le mur et faites-le glisser avec une série de mouvements en zigzag ou en « W », sur une zone de 1 m² environ. N'appuyez pas, laissez l'outil faire le travail.

2 Rechargez le rouleau de peinture et recouvrez les endroits oubliés avec les mêmes mouvements. Quand le manchon n'est plus imbibé, roulez-le de nouveau sur la surface peinte pour l'unifier.

3 Passez à la zone adjacente. Imbibez le rouleau et répétez le processus de 1 à 3 en travaillant de la zone non peinte vers la zone peinte, en veillant à l'unification de la couverture.

Truc

Ne déplacez pas le rouleau trop vite car il va projeter une fine brume de peinture.

Parole d'expert

- La plupart des montures de rouleaux s'adaptent à une perche télescopique qui se visse ou s'enclenche sur le manche. Cet accessoire vous permet d'atteindre facilement le haut des murs et les plafonds.
- Il est très difficile d'éliminer entièrement la peinture d'un rouleau à mèches. Prévoyez un rouleau par couleur ce qui vous évitera de nettoyer le manchon à chaque changement de teinte.
- La plupart des manchons sont relativement bon marché : jetez-les après utilisation, plutôt que de passer du temps à les nettoyer.

Les portes

Des mini-rouleaux peuvent être employés pour peindre de petites surfaces telles que les panneaux de portes, par exemple.

- Commencez par peindre les moulures ou autres détails au pinceau.
- Appliquez verticalement la peinture sur la partie lisse de la porte avec le rouleau. Veillez à ce que les bords restent humides et ne passez pas sur les zones en train de sécher.
- Unifiez le film à l'aide d'une brosse en opérant de bas en haut afin d'obtenir une finition bien lisse.

Nettoyage

Les rouleaux sont difficiles à nettoyer, en particulier ceux possédant de longues mèches. Les manchons en peau de mouton se nettoient cependant plus aisément que ceux en fibres synthétiques.

1 Faites rouler l'accessoire plusieurs fois sur une feuille de papier journal pour en éliminer l'excès de peinture.

2 Démontez le manchon et lavez-le dans le diluant approprié (eau pour les peintures à l'eau, white-spirit pour les peintures à l'huile).

3 Plongez le rouleau dans de l'eau mélangée à un détergent, remuez-le plusieurs fois et essorez-le avec vos doigts. Rincez et répétez l'opération jusqu'à élimination totale de la peinture. Rincez à l'eau claire.

Suspendez le manchon pour le faire sécher en passant un cordon à l'intérieur. Quand il est sec, rangez-le à l'abri de la poussière.

POINTS CLÉS

Taille adaptée Prenez un rouleau de 18 cm pour les murs – ceux de 25 cm sont parfois jugés trop encombrants.
Mini-rouleaux Ils servent à peindre de petites surfaces planes.
Bordures Pour peindre les angles des parois et les bords de moulures ou de plinthes, utilisez un pinceau qui permet un travail plus précis.
Bords humides Les bords doivent rester humides pour que les raccords ne se voient pas.
Zones limitées Travaillez sur des zones de 1 m à la fois pour éviter un séchage trop rapide au niveau des raccords.

Le tampon, qui permet de peindre rapidement et sans éclaboussures, donne une finition lisse. Adapté à la plupart des surfaces, c'est sans doute l'accessoire le plus facile à manier pour un débutant.

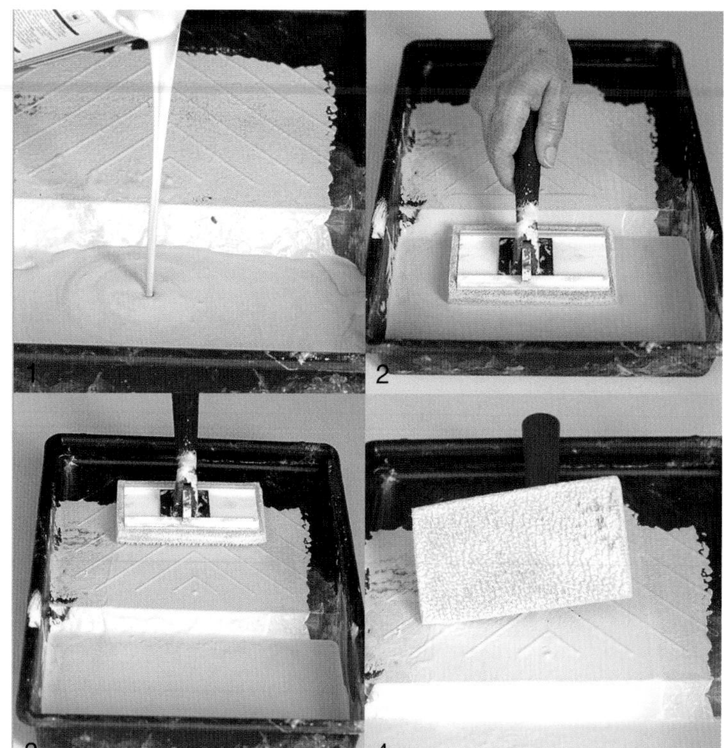

Chargement du tampon

1 Versez la peinture dans un bac jusqu'à un tiers de sa hauteur.

2 Trempez le patin du tampon dans la peinture.

3 Frottez-le ensuite sur les aspérités du bac pour étaler régulièrement la peinture, puis passez-le sur le rebord du récipient pour éliminer le produit en excès.

4 Il est prêt à être utilisé.

Si votre bac à peinture est muni d'un rouleau distributeur (qui tourne à la surface du réservoir), passez simplement le patin dessus, pour l'imbiber.

Peindre au tampon

Les boiseries

Les tampons, qui peuvent être utilisés sur les boiseries, donnent les meilleurs résultats avec la peinture à l'eau. Pour la peinture à l'huile, utilisez des brosses, plus performantes et faciles à manier. En fait, la combinaison de tampons et de pinceaux est souvent la garantie d'une exécution rapide et d'une finition de qualité.

Plinthes

Si la plinthe est moulurée, utilisez un pinceau pour peindre les détails puis prenez un tampon de taille moyenne pour la partie plate – alignez le bord du tampon sur celui de la plinthe pour tracer une lisière nette. Les plinthes ordinaires peuvent être peintes avec un tampon de taille moyenne.

Portes sans encadrement

Les tampons conviennent parfaitement à la peinture des portes sans encadrement. Peignez d'abord le bord supérieur de la porte, puis travaillez de haut en bas, en superposant légèrement chaque application.

Encadrements de portes et de fenêtres

Pour peindre les encadrements tout simples, choisissez un tampon correspondant à la taille de la surface à recouvrir ; la forme du tampon vous permet de guider avec précision le patin sur le champ extérieur. Toutefois, pour les recoins difficiles d'accès, le pinceau reste l'accessoire idéal pour peindre les encadrements élaborés.

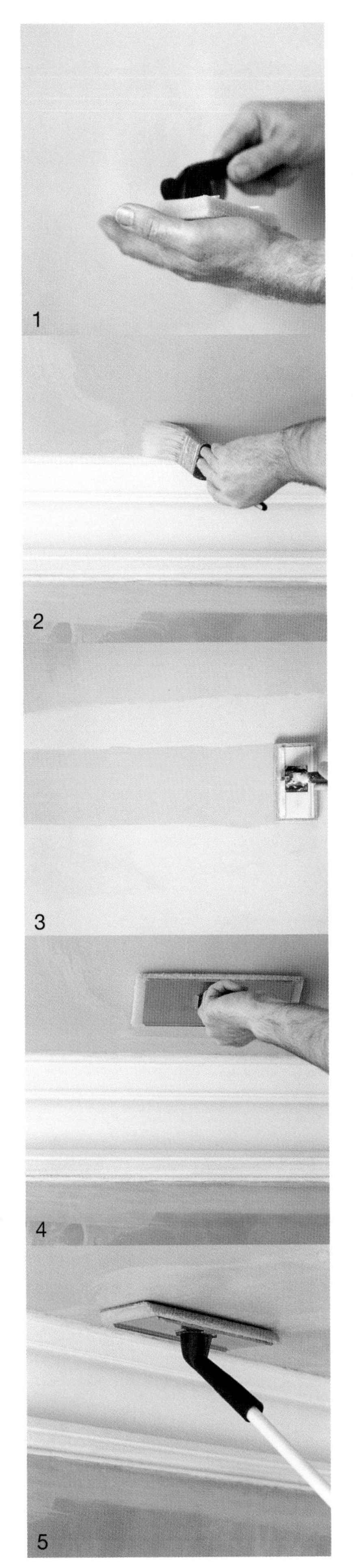

Les plafonds et les murs

Les tampons sont parfaits pour peindre les plafonds et les murs ; ils permettent à la fois de travailler rapidement et d'obtenir une belle finition.

1 Frottez le patin neuf sur votre paume pour en éliminer l'excès de fibres. Tant qu'il n'est pas un peu usé, vérifiez au cours de votre travail que la couche de peinture appliquée ne comporte aucun résidu.

2 Si cet accessoire permet de bien approcher les bords des parois, il peut être plus pratique de peindre préalablement les angles et les coins au pinceau.

3 Appliquez la peinture avec de grands mouvements verticaux. Évitez d'effectuer des allers-retours. Superposez légèrement chaque application à la précédente pour obtenir une couverture régulière.

4 Si vous n'avez pas peint au pinceau les bords des plinthes, moulures ou corniches, faites-le maintenant en vous servant du bord du tampon pour tracer de belles lisières.

5 Une perche télescopique adaptée à un grand tampon vous permet de peindre rapidement le haut des murs ou le plafond, mais il vous faut acquérir un peu de pratique. Pour recharger le tampon, détachez-le de sa rallonge – une fois que vous vous sentirez tout à fait à l'aise, vous n'aurez pas besoin de séparer les deux éléments pour imbiber le patin.

Truc

Achetez des accessoires de qualité qui ne se descelleront pas et donneront une finition plus régulière que des produits moins chers.

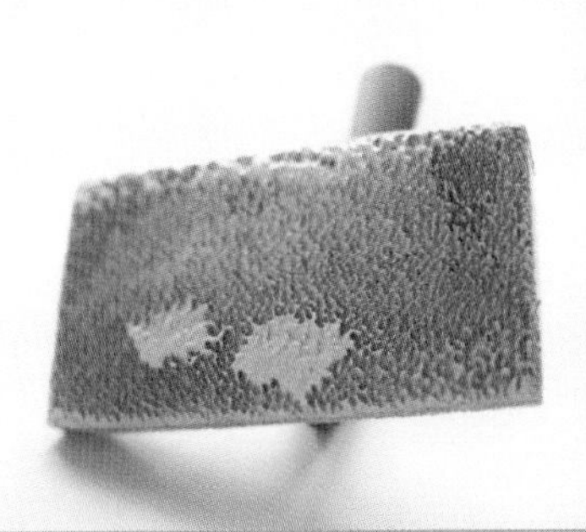

POINTS CLÉS

Rapidité et facilité Les tampons permettent de couvrir rapidement de grandes surfaces.
Finition lisse Bons résultats garantis !
Réactions diverses Les avis des peintres expérimentés sur les mérites des tampons sont partagés. Faites-vous votre propre opinion.
Peinture à l'eau Bons points : les tampons la retiennent bien et se nettoient facilement.
Peinture à l'huile Mauvais points : elle se laisse moins bien étaler et les solvants affaiblissent l'adhérence du patin de mohair à son support de mousse.

Nettoyage

Les fibres des tampons, très courtes, ne retiennent pas beaucoup de produit après utilisation, ce qui permet un nettoyage facile, avant que la peinture ne sèche.

1 Détachez le patin de son support et rincez-le dans le diluant approprié : de l'eau pour la peinture à l'eau ; du white-spirit pour la peinture à l'huile. Si la peinture est difficile à éliminer, lavez le patin dans de l'eau tiède avec un peu de lessive.

2 Rincez à l'eau courante – frottez le tampon avec vos doigts pour en faire sortir la peinture ou utilisez une brosse à ongles en nylon ; insistez jusqu'à ce que l'eau soit claire.

3 Laissez sécher le tampon naturellement et rangez-le à l'abri de la poussière ou dans un sac en plastique.

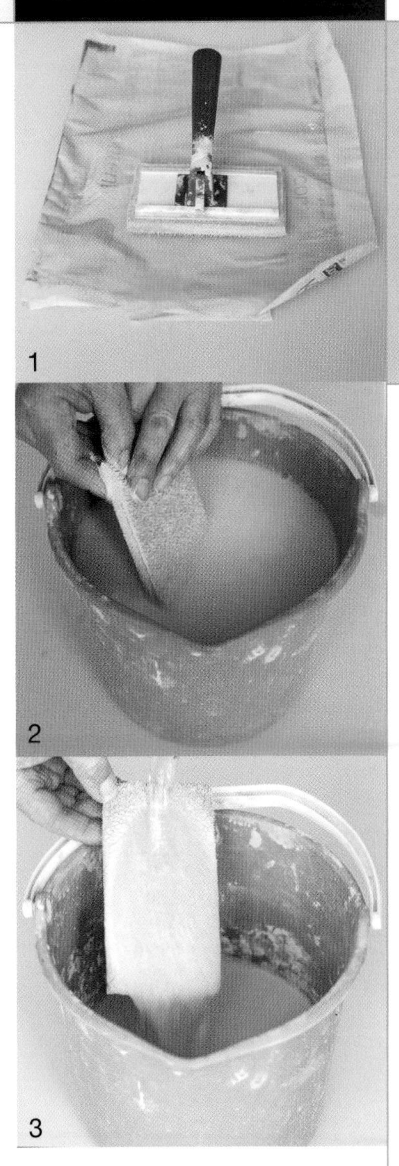

Peindre par pulvérisation

La pulvérisation est le moyen le plus efficace de couvrir rapidement de grandes surfaces et de peindre des supports élaborés, tels que les stores vénitiens, mais c'est aussi la technique la plus difficile à maîtriser.

PISTOLET ET BOMBE

La peinture au pistolet ou à la bombe comporte de nombreux avantages. Vous pouvez couvrir de grandes surfaces rapidement, sans effort, et avec précision. La peinture, libérée en une fine brume, dépose sur le support un film régulier et fin, qui sèche rapidement, limitant ainsi le risque de contamination par la poussière. Les couches successives peuvent être passées à intervalles plus courts, sans que vous ayez besoin de poncer entre chaque application. Enfin, les endroits élaborés, qui demanderaient beaucoup de temps au pinceau, sont beaucoup plus faciles à colorer par pulvérisation, méthode qui se révèle, en outre, plus efficace.

Les techniques de pulvérisation s'imposent pour les très grandes surfaces ou pour des zones complexes telles que les portes à claire-voie, les stores à lattes ou les ornementations diverses sur plâtre, bois ou métal. Le type de finition que vous désirez entre également en ligne de compte : pour obtenir un aspect très lisse, sur des placards de cuisine ou une porte d'entrée, par exemple, cette méthode est très performante. Elle est également très économique car le pouvoir couvrant de la peinture est utilisé à son maximum.

Truc

Avant de commencer, entraînez-vous sur une chute de bois lisse jusqu'à ce que vous obteniez une couche régulière.

Bombes

La bombe de peinture contient : un propulseur qui pousse le produit hors du récipient et s'évapore dès qu'il est au contact de l'air ; un solvant qui sert de véhicule pour les éléments solides – le pigment, en particulier – et qui s'évapore, lui aussi, au cours du processus de séchage ; et des résines qui confèrent au produit sa stabilité et ses qualités d'adhérence et de durabilité. Quand vous actionnez le diffuseur – qui doit rester propre –, la peinture sort par un tuyau. Secouez l'aérosol avant utilisation.

Les bombes de peinture sont faciles à utiliser et particulièrement commodes pour peindre des zones réduites et élaborées : un store vénitien ou des volets à claire-voie, par exemple. Toutefois, elles n'offrent qu'une gamme limitée de couleurs et reviennent cher si on les emploie pour des tâches trop importantes. Elles réclament sensiblement la même technique que les pistolets électriques. Prenez les précautions habituelles pour votre santé et votre sécurité : protégez les zones avoisinantes et entraînez-vous avant d'exécuter le travail. Commencez à déplacer votre main avant d'appuyer sur le diffuseur, continuez à la déplacer et relâchez le diffuseur avant de l'immobiliser.

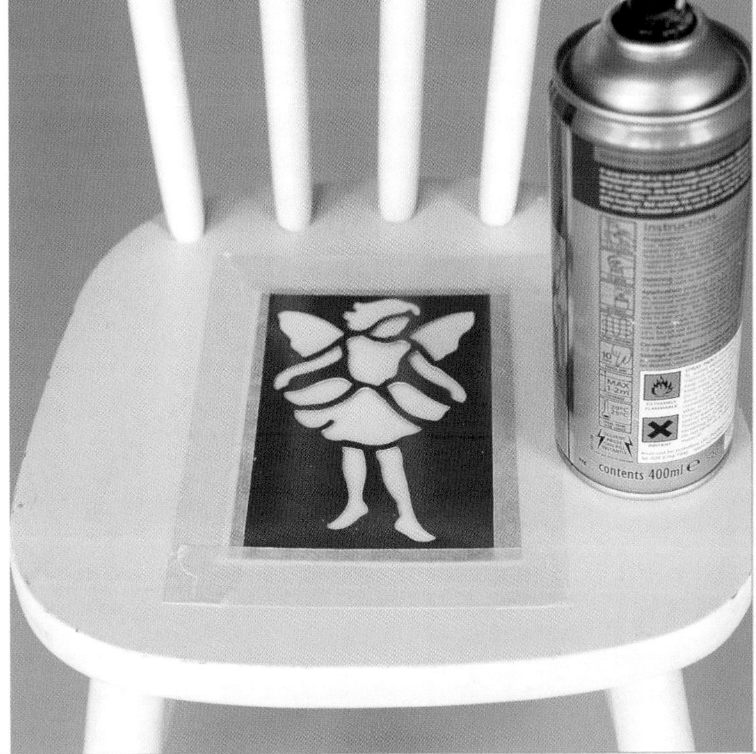

Pistolets

Les appareils de la nouvelle génération sont très maniables. Un pistolet est composé d'un compresseur, d'un réservoir à peinture, d'un tuyau souple, d'un régulateur de pression et d'un embout (la « buse »). La pulvérisation s'effectue de la façon suivante : la peinture est poussée avec une très haute pression ; lorsqu'elle sort par le bec de la buse, elle se dilate très rapidement au contact de l'atmosphère et se sépare en une infinité de gouttelettes minuscules donnant une pulvérisation fine, régulière et précise – ce qui permet d'obtenir des bords réguliers et des angles bien nets.

Les pistolets peuvent être employés aussi bien avec de la peinture à l'eau qu'avec de la peinture à l'huile, des vernis et des teintes. Le type de buse détermine la quantité de peinture délivrée. En général, plus le bec est petit, plus la peinture est fine. Utilisez un diamètre de buse plus important pour les peintures à l'eau et un plus petit pour les peintures à l'huile, les laques, les teintes et les vernis.

Il existe d'autres types de pulvérisateurs à peinture. Ils fonctionnent de façon légèrement différente mais les résultats sont sensiblement les mêmes. Les « airless » à basse pression réduisent les éclaboussures sur les surfaces adjacentes – courantes avec les autres appareils. Ainsi la quantité de peinture qui atteint la surface est plus importante, et les protections à prendre sont réduites.

Peindre au pistolet

1 Lisez soigneusement les instructions du fabricant, en particuliers les recommandations relatives à la santé et à la sécurité – port d'un masque et ventilation.

1

2 Tous les pistolets et bombes éclaboussent légèrement, même si les systèmes modernes ont minimisé cet inconvénient. Recouvrez toutes les surfaces voisines de housses et dissimulez les bords adjacents avec un ruban de masquage.

2

3

3 Diluez la peinture en suivant les recommandations du fabricant. Un instrument optionnel peut vous être proposé pour tester la viscosité du produit, qui doit être suffisante pour une atomisation correcte.

4 Il peut être nécessaire de filtrer la peinture avant de la verser dans le réservoir. Suivez les instructions de filtration.

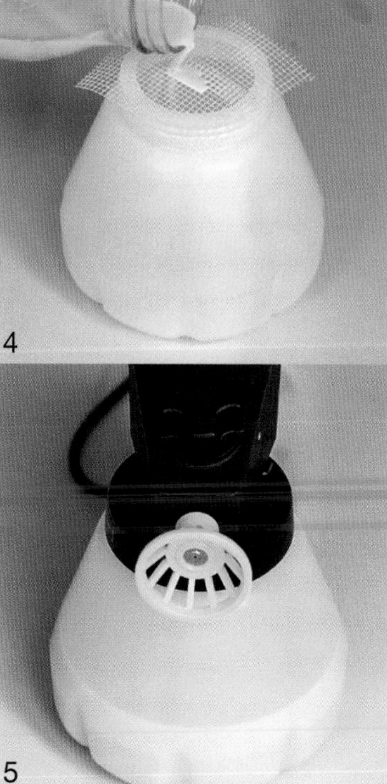

4

5

5 En suivant les instructions, amorcez l'appareil – cette opération, qui ne prend que 2 minutes, est nécessaire pour un fonctionnement optimal.

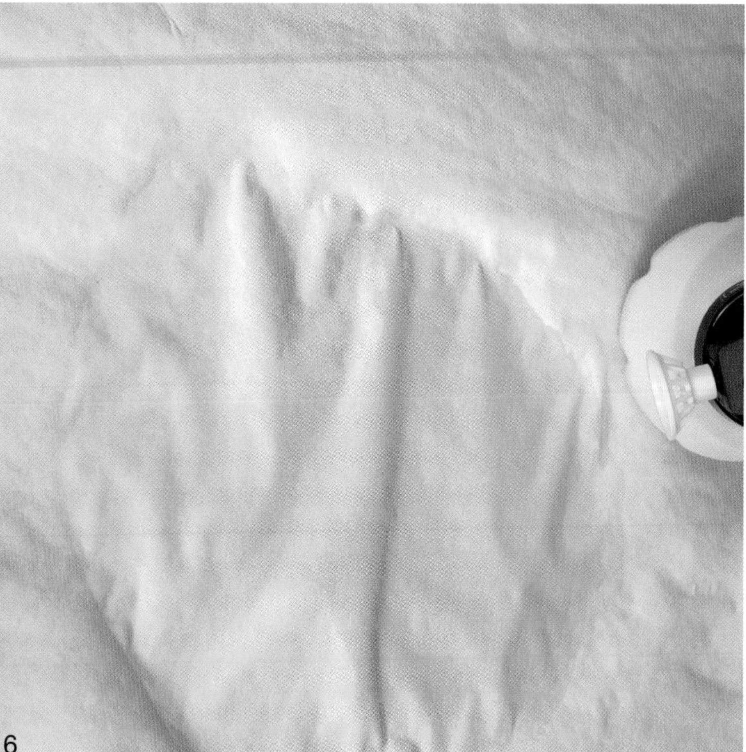

6

6 Entraînez-vous sur un morceau de papier ou de bois. Pointez la buse vers la surface et rappelez-vous que le produit sort de l'appareil dès que vous appuyez sur la gâchette. Maintenez le pistolet à 15-20 cm environ du support pendant la pulvérisation, en le déplaçant horizontalement. Vous pouvez avoir tendance à tracer un arc devant vous (comme un jet d'arrosage), ce qui écarte la buse de la paroi à certains moments et peut provoquer une différence d'épaisseur du film. N'appuyez pas sur la gâchette avant d'avoir commencé à déplacer le pistolet, qui ne doit jamais rester immobile.

7 Pulvérisez en couche fine, en faisant se chevaucher les projections et en déplaçant constamment le pistolet, sous peine d'obtenir un film inégal et de provoquer des coulures à certains endroits. Relâchez la gâchette avant d'immobiliser le pistolet pour éviter les mêmes inconvénients.

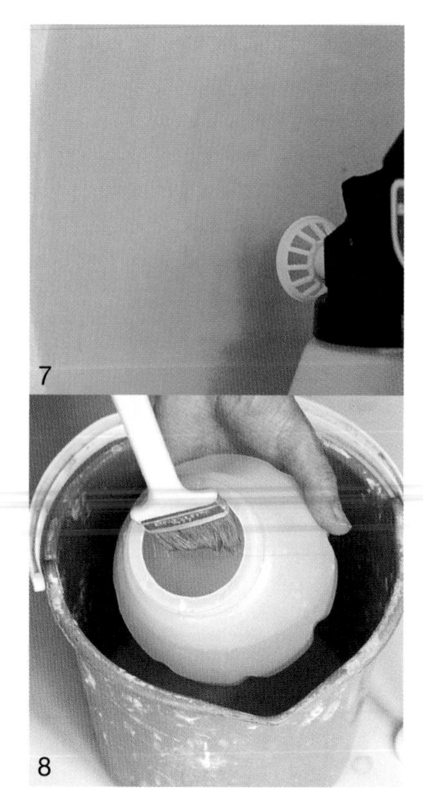

7

8

8 Lorsque vous avez terminé de peindre, prenez le temps de nettoyer le matériel plusieurs fois à l'eau claire. À la fin du nettoyage, l'eau de rinçage doit être parfaitement transparente.

Truc

Il vous faudra une grande quantité de rubans de masquage et de bâches de plastique pour protéger les zones avoisinantes.

Le pour et le contre

Avantages

- Cette méthode est de 4 à 5 fois plus rapide, parfois, que la peinture à la brosse.
- Elle ne laisse aucune marque de pinceau.
- Elle est économique. La couche appliquée étant très fine, le pot de peinture couvre davantage de surface.
- Vous pouvez envoyer, sans trop de mal, la peinture dans des recoins autrement inaccessibles tels que les ornements élaborés.
- Avec de la pratique, vous pouvez obtenir une finition de très belle qualité.

Inconvénients

- Les minuscules particules de peinture pulvérisées éclaboussent souvent les surfaces environnantes – les zones adjacentes doivent être soigneusement protégées.
- Pour des raisons de santé et de sécurité, des précautions sont nécessaires : port de masques et bonne ventilation.
- Le nettoyage du matériel peut prendre beaucoup de temps. Assurez-vous, avant de commencer, que toutes les surfaces devant recevoir la même couleur sont préparées et que toutes les zones avoisinantes sont protégées.

POINTS CLÉS

Grandes surfaces Utilisez les pulvérisateurs pour de très grandes surfaces.
Ornements élaborés Les pulvérisateurs les peignent parfaitement.
Finition Les pulvérisateurs assurent un fini professionnel.
Santé et sécurité Suivez les recommandations à la lettre.
Protégez les zones adjacentes.

Truc

Utilisez, pour protéger les zones adjacentes des éclaboussures, un morceau d'Isorel ou de carton rigide que vous essuyez ou remplacez à intervalles réguliers.

SANTÉ ET SÉCURITÉ

- La pulvérisation dégageant une fine brume de peinture, il est indispensable de porter un masque respiratoire et des vêtements protecteurs, et d'assurer une bonne ventilation. Suivez scrupuleusement les instructions du fabricant.
- Manipulez le matériel avec précaution. Même les accessoires les plus petits projettent la peinture avec une pression considérable qui peut endommager la peau. Portez des gants et ne vous hâtez pas. Si le produit rentre en contact avec une plaie, consultez un médecin !
- Efforcez-vous de pulvériser en vous éloignant de la buse et en vous dirigeant vers la source de ventilation la plus proche – une porte ou une fenêtre ouvertes.

Astuces de pro

- Ne lésinez pas sur les bâches en plastique : disposez-en partout et masquez soigneusement les zones adjacentes avec du papier et de la bande-cache.
- Prévoyez du temps pour étudier les instructions et suivez-les.
- Entraînez-vous sur des chutes de bois – au début, vous risquez de presser le déclencheur trop fort, ou d'oublier de déplacer le pistolet.
- Ayez du matériel de nettoyage à portée de main pour éliminer les éclaboussures éventuelles.
- Si vous ne vous sentez pas à l'aise avec un pulvérisateur, n'insistez pas. Vous trouverez toujours des pinceaux, des rouleaux ou des tampons pour faire face à toutes les situations.
- Si la peinture s'accumule à un endroit, trempez une brosse dans le diluant approprié et étalez l'excès de produit. Après séchage, poncez et pulvérisez de nouveau.
- Trouvez le bon rapport entre la pression et la distance séparant la buse de la surface à recouvrir. Une fois cette question réglée, vous n'aurez plus aucune difficulté.

PEINDRE UNE PIÈCE

La plupart des travaux de peinture ne sont pas difficiles à exécuter, une fois que vous avez trouvé comment vous y prendre. Pour cela il faut surtout du bon sens. Commencez par les surfaces les plus vastes et travaillez de haut en bas et sur de petites sections, dont les bords restent humides assez longtemps pour que les reprises restent invisibles. Utilisez des brosses et des rouleaux de grand format pour les grandes surfaces et de petits pinceaux pour les lisières et les détails. Peignez les fenêtres et les portes extérieures le matin pour leur permettre de sécher dans la journée : vous pourrez les refermer le soir. De même, rénovez de préférence des pièces entières quand il fait chaud et sec et que vous pouvez laisser les fenêtres grandes ouvertes pour accélérer le processus de séchage. Toutes ces précisions paraissent évidentes, mais il n'est jamais inutile de se les remémorer.

Un plafond propre et bien peint est un élément de décoration essentiel. Choisissez des couleurs claires et brillantes qui sauront réfléchir la lumière.

PLANIFIEZ VOTRE TRAVAIL

Le plafond est un élément décoratif souvent négligé. Cependant, il occupe une grande partie de la pièce et constitue une source importante de lumière réfléchie. Quand il est en mauvais état, tout ce qui l'entoure paraît terne ; dès qu'il est rénové, tout devient plus accueillant.

Le plafond est la première surface à peindre. Réfléchissez soigneusement à la façon dont vous allez vous organiser, surtout si vous ne disposez que de vos soirées et week-ends. Dans l'idéal, il faut passer une couche entière en une seule fois – sinon vous aurez des marques visibles au niveau des reprises. Soyez réaliste : il est de loin préférable de prévoir trop de temps plutôt que de ne pas avoir terminé au moment prévu. Lorsque cela se produit, vous vous en voulez, le travail devient un fardeau et sa qualité s'en ressent.

Le temps à prévoir dépend de l'état du plafond, de la préparation et du nombre de couches à appliquer. Si la surface a juste besoin d'être rafraîchie, une couche d'émulsion suffira peut-être ; si elle est tachée ou endommagée, il vous faut nettoyer (p. 48-49) et enduire (p. 64 et 67). Ne sautez pas ces étapes, il n'y a rien de plus décourageant que de voir de vieilles taches réapparaître sous votre belle finition.

Peindre le plafond

Éclairage

L'éclairage a une importance certaine quand vous peignez un plafond : il peut être difficile de voir ce que vous faites quand il fait sombre et si vous vous servez de la lumière artificielle, votre ombre peut vous gêner. Évitez de commencer un travail à la lumière naturelle et de le terminer à la lumière artificielle. Essayez différentes sources d'éclairage – halogène, projecteur, ampoules de 150 watts – et faites votre choix. Si vous peignez du blanc par-dessus du blanc, utilisez une peinture spéciale plafond, rose à l'application mais qui blanchit en séchant : elle vous permet de vérifier que vous n'avez oublié aucune zone.

Débarrassez la pièce
Enlevez tous les meubles. Ce n'est pas toujours facile, mais il est important de pouvoir accéder au plafond sans obstacles – grimper sur une table ou un buffet vous fait perdre du temps et présente un danger. Enveloppez tout ce que vous ne pouvez pas retirer avec des housses et assurez-vous que le sol est bien protégé. Si vous travaillez avec soin, il ne devrait pas y avoir trop d'éclaboussures, mais il est préférable de prévoir le pire. Retirez les appliques et les lustres. Si c'est impossible, enveloppez-les dans du plastique ou du tissu (p. 47) – attention de ne pas allumer une ampoule couverte de plastique : celui-ci fondrait à la chaleur.

Préparation du plafond

Nettoyez le plafond avec une lessive décapante (p. 49) et rincez abondamment à l'eau claire. Enduisez tous les trous et fissures et laissez bien sécher le produit (p. 64-67). Appliquez un primaire adapté sur les zones bouchées afin que l'enduit n'apparaisse pas à travers le film de peinture.
Si les fissures sont très fines, utilisez un enduit spécial ou passez une émulsion souple spéciale pour plafond sur toute la surface.

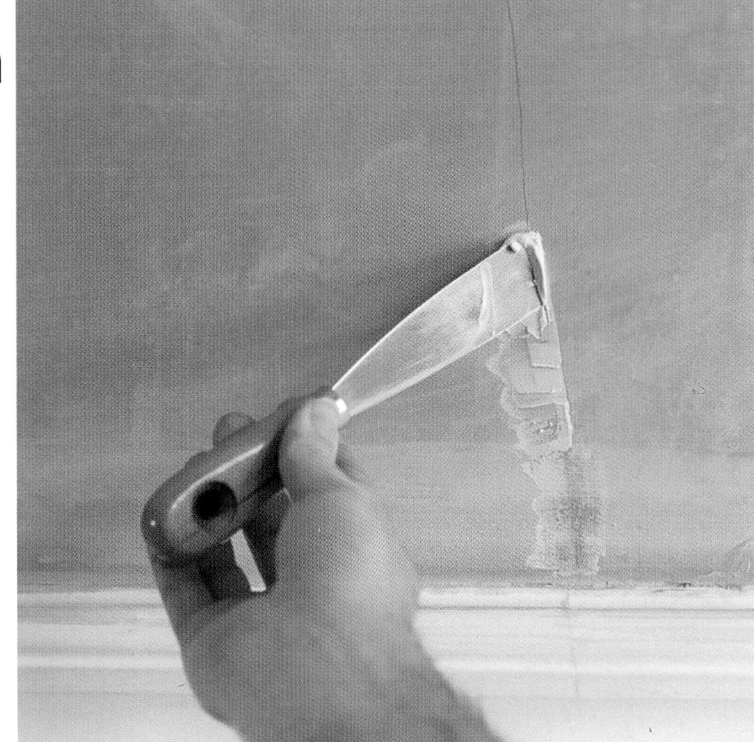

Peintures pour plafonds

Les émulsions vinyliques sont les plus appréciées.

- **Émulsion mate** Elle cache les imperfections et est idéale pour les plafonds inégaux et réparés.
- **Émulsion satinée** Plus réfléchissante, elle met en évidence les irrégularités de la surface. À utiliser sur les plafonds lisses mais aussi pour mettre en valeur les moulures élaborées ou le papier gaufré.
- **Peinture brillante** et **peinture acrylique** conviennent aux plafonds et aux pièces où l'on fume beaucoup...
- **Émulsions spéciales pour cuisine et salle de bain** Excellentes pour les zones soumises à de la vapeur.

Si la surface du plafond est absorbante, poudreuse ou friable, elle doit être fixée avant d'être peinte (p. 56-59 et « Peintures spéciales » p. 19).

Choisissez votre méthode

Pour peindre un plafond, la facilité d'accès et la rapidité d'exécution sont primordiales. Le fait de travailler au-dessus de votre tête influe sur la durée d'application que vous pouvez effectuer sans pause. Vous devez prévoir de passer une couche de peinture en une seule fois pour éviter des reprises visibles. Choisissez vos instruments en fonction de divers éléments : le matériau de surface – il peut s'agir de plâtre ancien ou neuf, de placoplâtre, de dalles de polystyrène, de papier d'apprêt ou de papier gaufré ; la taille du plafond ; et sa hauteur. Vous pouvez préférer appliquer la peinture à la brosse, mais si le plafond est très haut, vous devrez peut-être louer des accessoires pour l'atteindre facilement (« Atteindre le plafond », p. 87). Vous pouvez choisir d'employer un rouleau au bout d'une perche télescopique, mais vous n'aimerez peut-être pas la texture légère qu'il laisse sur les surfaces lisses et il vous faudra également grimper pour peindre au pinceau les moulures et les lisières. Toute technique possède ses particularités. Faites des essais afin de voir quelle est la méthode la mieux adaptée à la surface à peindre et à vos capacités. Référez-vous au chapitre sur les différentes techniques de peinture.

MISE EN PRATIQUE

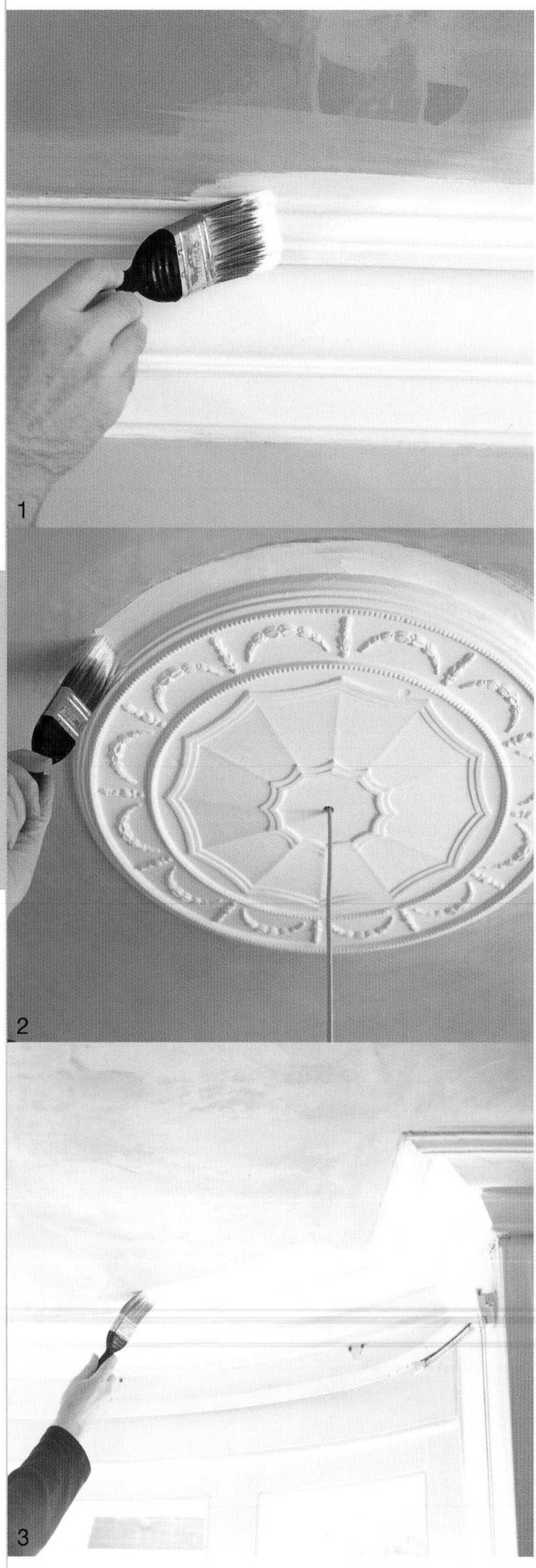

Même si le plafond est en bon état, époussetez-le et nettoyez-le. Assurez-vous, avant de monter sur votre escabeau avec le pot de peinture et les pinceaux à la main, que les toiles d'araignée, la poussière et les taches ont disparu.

Les vieilles moulures sont parfois tachées ou poreuses à cause de l'âge ou de l'humidité. Éliminez tout résidu poudreux et utilisez un fixateur pour lisser la surface à peindre (p. 58-59).

1 Si le plafond comporte une corniche, commencez par appliquer une première couche sur celle-ci, ce qui peut prendre du temps si elle est en mauvais état – plusieurs couches seront peut-être nécessaires. Essayez des brosses de tailles différentes et peignez les ornementations élaborées par pulvérisation (p. 78-81). Débordez de 50 mm environ sur la surface du plafond, afin de préparer la reprise – cela vous évitera, à l'étape suivante, de trop approcher le rouleau ou le tampon du bord de la moulure.

2 Si le plafond comporte une rosace, peignez-la ensuite en utilisant la même brosse que pour la corniche. Là aussi, débordez de 50 mm pour préparer les reprises.

3 Vous pouvez maintenant recouvrir la surface. Si la pièce comporte une fenêtre, commencez au-dessus et travaillez en vous en éloignant progressivement. À l'aide d'une brosse, d'un rouleau ou d'un tampon, appliquez la peinture rapidement et régulièrement, sur une petite section à la fois, afin de toujours garder des bords humides pour les reprises – si le produit sèche par endroits, la brosse risque de le soulever et de provoquer des amas.

Laissez sécher le plafond en suivant les recommandations du fabricant avant de passer la couche suivante, si nécessaire.

Lorsque le plafond est terminé, appliquez la couche de finition sur la corniche et la rosace.

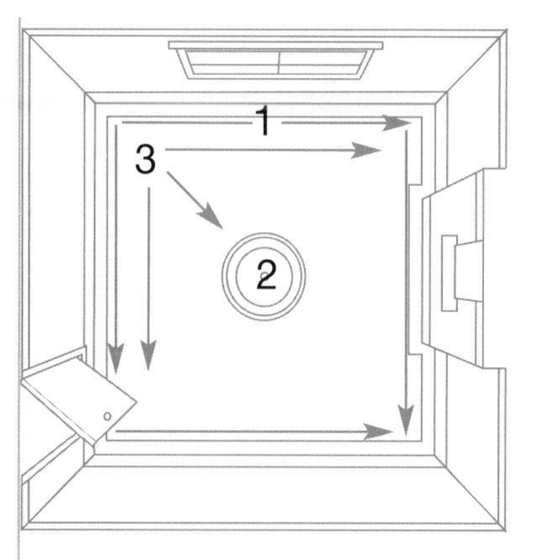

Procédez par ordre

1 Corniche
2 Rosace
3 Corps principal du plafond : commencez près d'une fenêtre ; laissez sécher, appliquez une deuxième couche sur la surface si nécessaire ; terminez avec la couche de finition sur la corniche et la rosace.

Truc

Si vous préférez l'odeur de l'oignon à celle de la peinture… coupez-en un en deux et laissez-le dans la pièce. Il semblerait qu'il absorbe ce type d'émanations.

Astuces de pro

- Si vous travaillez en hauteur, sur un escabeau par exemple, procédez du plus loin au plus près, de droite à gauche si vous êtes droitier ; de gauche à droite si c'est le contraire. Cela vous permet de rester à l'écart de la zone peinte et de moins vous étirer.

- Si la peinture est difficile à étaler, ajoutez une goutte du diluant approprié pour permettre au produit de mieux glisser sur la surface.

Atteindre le plafond

La façon dont vous travaillez dépend de la hauteur du plafond.

Un escabeau – stable! – est l'accessoire nécessaire dans la plupart des cas, car sa plate-forme vous permet de poser le pot de peinture et les outils.

Utilisez deux escabeaux et une planche d'échafaudage pour fabriquer une grande plate-forme : vous monterez et descendrez les marches moins souvent.

Des cageots résistants ou des tabourets en bois peuvent suffire pour les endroits plus petits.

Utilisez des perches télescopiques avec les rouleaux et les tampons pour atteindre les plafonds sans avoir à monter sur un escabeau ; vous devrez cependant y grimper pour peindre à la brosse les bords, les corniches et les rosaces.

Louez le matériel nécessaire au magasin de bricolage le plus proche. Si vous préférez peindre à la brosse et que le plafond est haut, louez **un escabeau en plus ou des tréteaux ajustables**. Ces derniers, une fois dressés à la bonne hauteur et recouverts de plusieurs planches, constituent une structure très stable et peuvent être déplacés au fur et à mesure de votre travail. La plupart des magasins de location les proposent à la journée ou à la semaine et peuvent les livrer et les reprendre.

Un échafaudage constitue une plate-forme très commode et sûre, munie de roues que l'on bloque une fois que la structure est en place. Il peut être également loué dans les magasins de location de matériel pour bricoleurs.

POINTS CLÉS

Planifiez votre travail avant de commencer, cela vous fera gagner du temps.
Atteindre le plafond Réfléchissez bien à la façon dont vous allez atteindre le plafond et louez ou achetez l'équipement nécessaire – votre travail en sera facilité et moins dangereux.
Choisissez votre peinture en gardant à l'esprit la nature de la surface à peindre.
Videz la pièce de ses meubles – la tâche sera plus aisée et moins dangereuse.
Ne vous hâtez pas, c'est ainsi que les accidents se produisent.

Truc

Portez un chapeau ou un foulard lorsque vous peignez le plafond – la peinture s'élimine difficilement des cheveux.

SANTÉ ET SÉCURITÉ

- Travaillez sur une plate-forme stable et sûre.
- Assurez-vous que l'escabeau est ouvert au maximum et stable.
- Portez des chaussures antidérapantes – de plus, les chaussures à semelle fine sont moins confortables quand on passe la journée sur un escabeau.
- Glissez vos outils dans votre poche ou une ceinture à outils afin de garder les mains libres pour vous tenir à l'échelle.
- Ne vous étirez pas trop. Travaillez confortablement et changez d'échelon quand il le faut.

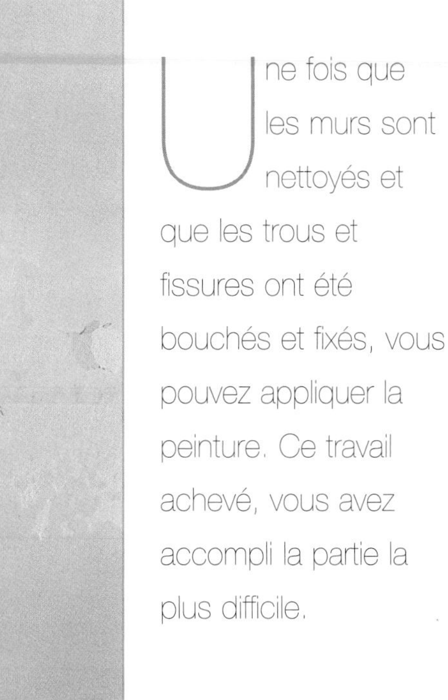

Une fois que les murs sont nettoyés et que les trous et fissures ont été bouchés et fixés, vous pouvez appliquer la peinture. Ce travail achevé, vous avez accompli la partie la plus difficile.

Choisir la peinture

Si les murs sont correctement imprimés et fixés vous pouvez utiliser n'importe quelle peinture (p. 18-19 et 58-59). L'émulsion mate ou satinée est la plus couramment employée. Choisissez une finition mate si l'aspect des murs n'est pas parfait, car le brillant du satiné met en relief les imperfections. Pour les cuisines et salles de bains, prenez de préférence une peinture spécialement conçue – ces émulsions semi-brillantes sont solides et résistent à l'humidité. Lorsque vous avez sélectionné le produit, lisez soigneusement les instructions avant de commencer votre travail.

Peindre les murs

Truc

Suivez bien les indications figurant sur le pot concernant la température, la préparation de la surface, l'application et le temps de séchage.

Choisir les outils

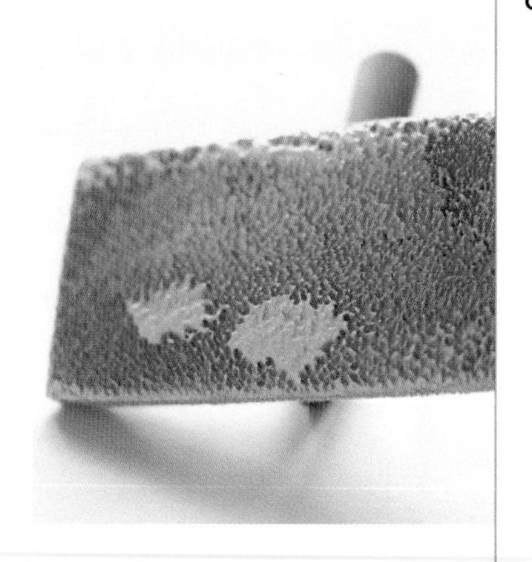

Une fois la préparation nécessaire effectuée, vous pouvez appliquer la peinture. La méthode choisie va dépendre en partie de la taille de la pièce : le rouleau peut être la meilleure solution pour une grande pièce, le tampon pour une pièce moyenne, et la brosse pour un petit espace. Votre choix dépend également de l'outil avec lequel vous vous sentez à l'aise, de la finition que vous désirez et du temps dont vous disposez. Vous pouvez, bien sûr, combiner plusieurs accessoires – tampons pour des lisières nettes et rouleaux pour des grandes surfaces, par exemple ; mais souvenez-vous qu'à outils différents, textures différentes – que le séchage mettra en évidence. Reportez-vous aux chapitres 2 et 3 qui traitent des multiples techniques de peinture ; avec de la pratique vous trouverez celle qui vous convient.

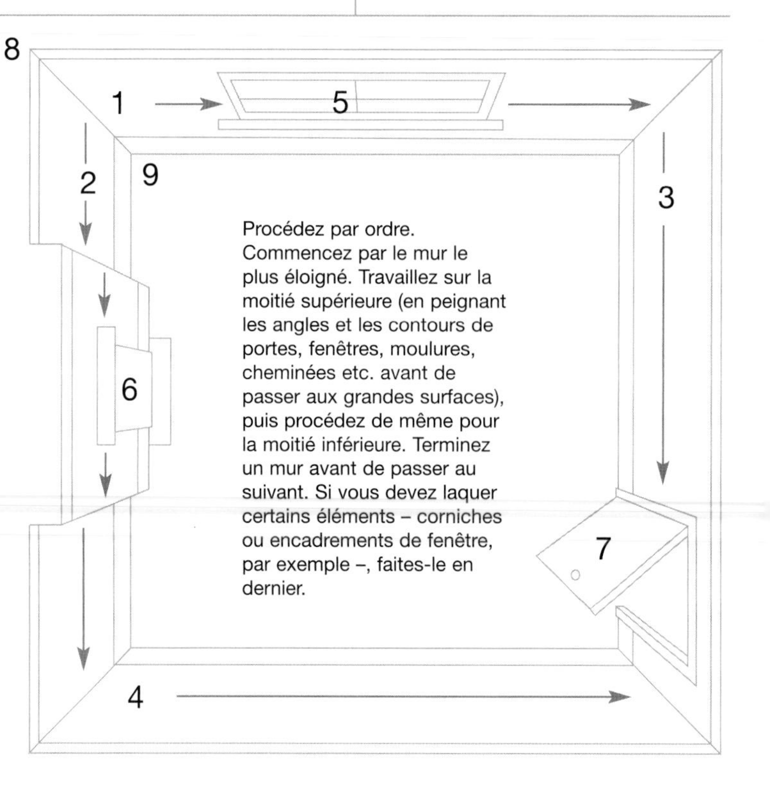

Procédez par ordre. Commencez par le mur le plus éloigné. Travaillez sur la moitié supérieure (en peignant les angles et les contours de portes, fenêtres, moulures, cheminées etc. avant de passer aux grandes surfaces), puis procédez de même pour la moitié inférieure. Terminez un mur avant de passer au suivant. Si vous devez laquer certains éléments – corniches ou encadrements de fenêtre, par exemple –, faites-le en dernier.

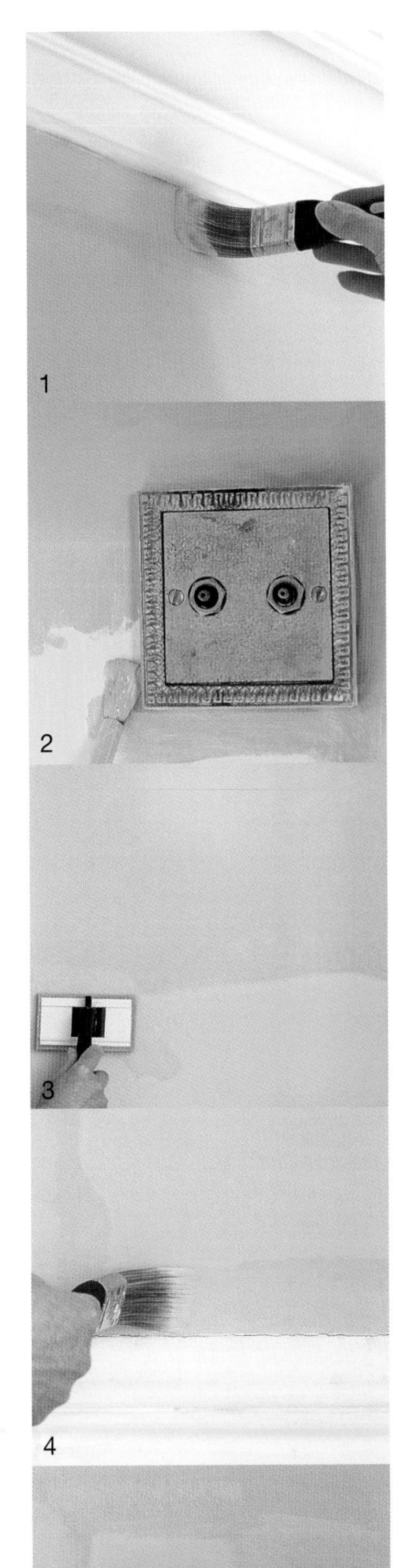

Au travail !

1 Commencez par le mur le plus éloigné de la porte. Peignez les angles et les bords au niveau du plafond avec une brosse de 25 à 50 mm. N'imbibez pas trop le pinceau et travaillez avec soin pour obtenir un tracé net de 50 à 75 mm de largeur.

2 En utilisant toujours la petite brosse, peignez les deux angles latéraux en vous arrêtant à moitié de la hauteur. Tracez également les contours des fenêtres, portes, prises électriques etc. Travaillez vite car les bords doivent rester humides pour que les reprises soient invisibles.

3 Prenez maintenant l'accessoire que vous avez choisi : brosse de 100 à 150 mm ; rouleau de 18 ou 25 cm ou tampon de 20 x 8 cm ou de 17 x 12 cm. Travaillez sur des sections de 1 m² en superposant légèrement vos applications afin d'assurer la continuité de la couverture et en veillant à l'humidité des bords.

4 Lorsque la moitié supérieure du mur est peinte, passez aux contours de la moitié inférieure en utilisant le petit pinceau pour les angles, et le long des plinthes. Si vous ne progressez pas assez vite, revenez à la zone déjà peinte et prolongez-la légèrement vers le bas afin de garder des bords humides.

5 Lorsque vous avez terminé les contours de la partie inférieure du mur, peignez le reste de la surface. Répétez le processus pour les murs suivants.

Peindre du papier peint

Si le mur est recouvert de papier d'apprêt ou de papier peint, vérifiez que ces derniers adhèrent bien et sont en bon état – la peinture ne dissimulera pas les déchirures ou autres dommages importants. Les surfaces de ce type posent deux problèmes potentiels : d'une part, la peinture peut décoller le papier et provoquer des cloques ; d'autre part, les encres du papier imprimé peuvent ressortir à travers le film de peinture. Appliquez un primaire/fixateur qui va réduire la perméabilité du support et minimiser les cloques – si celles-ci se produisent tout de même, ne vous inquiétez pas : elles disparaîtront au séchage. Le primaire/fixateur empêchera également l'encre de filtrer à travers la peinture.

POINTS CLÉS

Débarrassez l'espace de travail Rassemblez ce qui reste au milieu de la pièce en laissant assez d'espace autour pour déplacer l'escabeau. Assurez-vous que les murs sont bien préparés et sans poussière.
Divisez le travail en fonction du temps dont vous disposez.
Commencez toujours par le mur le plus éloigné de la porte et travaillez en vous en éloignant.
Tracez les contours des ouvertures et prises, puis remplissez la surface.
Les bords doivent rester humides pour éviter des reprises visibles.

Inspection finale

Quand la première couche est sèche, inspectez la surface sous un bon éclairage afin de voir si la couverture est régulière. Si le résultat n'est pas satisfaisant, poncez légèrement le mur avec un papier abrasif très fin, essuyez-le avec un chiffon humide et appliquez une deuxième couche.

Lorsque la seconde couche est sèche, inspectez de nouveau le mur pour voir si la finition est régulière. Il vous faudra peut-être appliquer une troisième couche dans certaines circonstances – quand vous peignez une couleur claire sur un support foncé, par exemple.

Votre entrée est l'endroit où vos visiteurs reçoivent la première impression de votre intérieur : vous désirez, sans aucun doute, qu'elle soit à la fois accueillante et décorée avec goût.

ORGANISEZ-VOUS

Établissez votre programme avec précision en divisant votre travail en différentes séances que vous pouvez réaliser en une fois. Il va vous falloir évoluer dans un espace déjà réduit : essayez de ne pas l'encombrer davantage. Rangez votre matériel ailleurs que sur le chantier – de préférence dans un endroit où il ne risque pas de vous gêner. Pensez à la ventilation – les émanations peuvent s'accumuler rapidement dans des cages d'escalier, mais il est toujours possible de créer des courants d'air à l'aide des portes et des fenêtres. Si l'éclairage est faible, prévoyez d'autres lampes branchées sur des rallonges, mais assurez-vous que ces dernières ne traînent pas et que vous ne risquez pas de vous y prendre les pieds.

Procédez par ordre

Préparez toutes les surfaces : nettoyez, enduisez, poncez et appliquez un primaire/fixateur selon les indications du chapitre 3. Ensuite, commencez par peindre le plafond, puis les murs, les fenêtres, les portes et les encadrements. Terminez par l'escalier.

Peindre entrées et escaliers

Accéder à la cage d'escalier

Nombre d'escabeaux et d'échafaudages permettent d'accéder aux cages d'escalier en toute sécurité. Rendez-vous dans le magasin de location de matériel le plus proche pour faire votre choix. Certains échafaudages, pliants, se transportent aisément ; ils peuvent prendre plusieurs formes et se bloquent pour que vous puissiez travailler sans risque. Écartez les escabeaux ordinaires : leur plate-forme, trop étroite et instable, serait dangereuse. Si vous avez besoin d'accéder au sommet de la cage, envisagez d'acheter une échelle spéciale qui s'ajuste sur les marches. Aucune de ces options ne vous enchante ? Peignez les parties hautes à l'aide d'un rouleau ou d'un tampon adaptés à une perche télescopique (p. 40-41).

Protection des marches

Il est difficile de trouver un système de protection qui ne risque pas de plisser sous vos pieds et de vous faire trébucher. Si l'escalier ne comporte pas de tapis et que la rampe est en bois, vous pouvez protéger les marches avec du papier d'apprêt découpé à la bonne taille – il est conseillé d'enlever tout autour une bande de 3 à 4 cm, de poser la surface restante au milieu de la marche et de combler le pourtour avec du ruban de masquage. Sur des marches couvertes de tapis, employez des housses de tissu – pas de plastique, très glissant – qu'il vous faut fixer de la façon la plus lisse et la plus solide possible.

Truc

Les petits placards encastrés peuvent être délicats à peindre : peignez chaque partie en la laissant sécher ensuite. Commencez par le haut, puis passez au fond et aux murs latéraux. Laissez sécher chaque partie avant de vous attaquer à la suivante. Finissez par les boiseries.

POINTS CLÉS

Sécurité Utilisez des escabeaux spéciaux ou des échafaudages pour les escaliers.
Protections sans danger Recouvrez les marches de papier d'apprêt ou de housses de tissu bien tendues.
Lumière et ventilation Ne lésinez pas sur le sujet !
De haut en bas Commencez par le haut et déplacez-vous vers le bas pour tous les éléments.
Section par section Travaillez selon une progression logique.
Utilisez des perches télescopiques avec des rouleaux ou des tampons.
Peinture à séchage rapide Employez-la pour les endroits risqués.

Peindre un escalier

Commencez par tout ce qui se trouve en haut et respectez l'ordre suivant : poteaux, fuseaux, main courante, limons (noyau de l'escalier sur lequel se fixent les marches), marches et contremarches.

Si l'escalier doit être utilisé pendant que vous le rénovez, peignez une marche sur deux et attendez qu'elles soient sèches pour passer au reste. Mettez un morceau de ruban de masquage sur les marches peintes pour que tout le monde sache où mettre les pieds.

À chaque séance, arrêtez-vous de peindre à la jointure de deux sections, par exemple à l'endroit ou la marche rencontre le limon. Tracez soigneusement les bords afin d'éviter des reprises visibles au milieu d'une section.

Les escaliers en spirale, ou très étroits, sont particulièrement difficiles à peindre car il est pratiquement impossible de ne pas se frotter à la peinture humide. Utilisez, si possible, un produit à séchage rapide et organisez votre travail de façon à peindre une section peu visible et à passer ensuite à une zone entièrement différente pendant que la première est en train de sécher.

Zones délicates

Certaines zones, plus difficiles à peindre que d'autres, restent souvent négligées. Quand vous rénovez un escalier, le trafic, l'accès et la sécurité sont les problèmes majeurs que vous rencontrez : dans une maison où chacun s'active, il est difficile d'interdire le passage pendant une période prolongée. Vous pouvez également vous trouver dans des endroits très étroits, avec une lumière et une ventilation insuffisantes, ou dans des cages très hautes, difficiles à atteindre.

Protégez les mains courantes des rampes en les entourant de plastique – vieux sacs ou papier bulle – bien fixé.

La peinture des fenêtres, véritable pensum pour nombre de bricoleurs, peut être facilitée, à certaines conditions : organisez votre travail, prenez votre temps et procédez méthodiquement.

PRÉPARATION

Préparez les boiseries (p. 60-63) : décapez, poncez et enduisez si nécessaire. Choisissez une peinture à séchage rapide et commencez à travailler le plus tôt possible dans la journée, afin que le produit ait largement le temps de sécher. Si vous le pouvez, enlevez tous les accessoires de métal tels que les poignées pour ne pas les maculer et obtenir ainsi une plus belle finition – malheureusement, c'est souvent délicat sur les fenêtres anciennes. Les vis peuvent se révéler très difficiles à retirer surtout si elles sont rouillées ou bloquées par des peintures anciennes. Au cas où ce travail vous prenne trop de temps ou risque d'abîmer la fenêtre, peignez autour des accessoires. Quand vous arrivez à retirer ces derniers, remettez une vis dans l'un des trous sans l'enfoncer tout à fait : cela vous donnera une prise lorsque vous voudrez ouvrir et fermer les battants.

Peindre les fenêtres

Choisir ses accessoires de peinture

Les fenêtres sont difficiles à peindre : elles sont constituées d'éléments très différents et il faut éviter de maculer les vitres. La peinture qui est appliquée sert à protéger le bois, à fixer les joints entre le bois et les vitres, et à embellir le décor. Vous devez donc choisir les bonnes brosses pour exécuter ce travail de façon satisfaisante, selon le type de fenêtre dont il s'agit ; la taille des différents éléments ; votre adresse et votre goût personnel. Entraînez-vous avec différents pinceaux et trouvez ceux qui vous conviennent, le travail en sera grandement facilité. Une brosse de 25 mm devrait convenir à la peinture des montants. Essayez une brosse à réchampir ou un blaireau pour le contour des vitres et les petits bois – des brosses usagées, qui se sont effilées, sont idéales pour tracer de belles lisières. Les peintres d'autrefois possédaient toute une collection de pinceaux qu'ils faisaient à leur main, en les utilisant toujours du même côté pour les effiler, par exemple.

Truc

Les fenêtres à guillotine modernes sont montées sur ressort. Elles peuvent être démontées aisément, ce qui permet un nettoyage et une peinture faciles.

Le ruban de masquage

Le moyen le plus rapide et le plus efficace de peindre les petits bois consiste à utiliser une brosse fine. Si vous travaillez avec précaution, sans vous précipiter, vous pouvez obtenir un tracé net ; avec de la pratique, vous contrôlez de mieux en mieux votre pinceau. Si vous craignez de maculer les vitres, utilisez du ruban de masquage, ou bande cache, pour couvrir le verre au bord des petits bois ; appliquez le ruban en l'écartant du bois de 3 mm. Ce procédé ne signifie toutefois pas que vous devez travailler sans faire attention ; au contraire, procédez comme si la vitre n'était pas protégée. Laissez la peinture sécher entièrement avant de retirer le ruban : utilisez un cutter pour inciser ce dernier au niveau du bois, afin de ne pas abîmer la peinture. Ne laissez pas la bande cache trop longtemps en place, car elle deviendrait difficile à retirer.

Nettoyage des vitres

Si vous tachez les vitres de peinture, utilisez un grattoir pour l'éliminer avant qu'elle ne durcisse. Couchez l'outil sur le carreau et poussez le doucement mais fermement – n'appuyez pas. Le grattoir doit détacher la peinture sans laisser de traces. Si ce n'est pas le cas, essuyez l'instrument, laissez la peinture sécher un peu et réessayez plus tard. Essuyez la lame régulièrement et changez-la si elle est rouillée. Quand la peinture est déjà sèche et durcie, attention de ne pas rayer le verre en voulant l'enlever.

Avant de commencer, vous pouvez pulvériser un peu de liquide de nettoyage. Le produit, qui agit comme un lubrifiant, empêchera la lame de rayer le verre. Déplacez le grattoir le long des bords de la vitre afin de tracer une ligne bien nette. En présence de taches très résistantes, tamponnez ces dernières avec le diluant adéquat. Dès que la peinture ramollit, servez-vous du grattoir pour la retirer.

Lorsque la peinture est complètement sèche, lavez les carreaux.

Un nettoyeur à vapeur, très utile, donnera une finition des plus brillante.

Fenêtres à guillotine

Lorsque vous peignez une fenêtre à guillotine sans la démonter, il est conseillé de suivre la progression indiquée sur les diagrammes. Ce travail peut être exécuté efficacement et sans peine si les châssis s'ouvrent et se ferment sans problème. Quand vous peignez une fenêtre à guillotine traditionnelle, à poulie et à contrepoids, et que les châssis ne restent pas en place si vous les faites coulisser, les cordes peuvent se casser ou se déplacer et les châssis risquent alors de s'encrasser de peinture et de se bloquer entièrement. Lorsque le châssis externe est immobilisé, sa traverse inférieure reste inaccessible à moins que vous ne retiriez le châssis interne – tâche relativement facile pour un bricoleur expérimenté, mais pas pour un novice. Afin de peindre entièrement une fenêtre de ce type, les deux châssis doivent coulisser librement.

1 Relevez complètement le châssis interne et baissez le châssis externe le plus bas possible : la traverse inférieure et la partie basse des montants de ce dernier vous sont maintenant accessibles. N'imbibez pas trop la brosse et appliquez la peinture en effectuant de grands allers et retours. Quand vous peignez les petits bois, recouvrez également le mastic et débordez de 3 mm environ sur les carreaux, en veillant à la netteté du tracé : la peinture scelle les joints et empêche la condensation à leur niveau (diagramme 1).

2 Baissez maintenant le châssis interne et relevez le châssis externe pour pouvoir en peindre la partie supérieure (diagramme 2).

3 Peignez ensuite la traverse supérieure du châssis interne, puis les montants et les petits bois, en travaillant de haut en bas. Vos deux châssis sont maintenant terminés.

4 Peignez l'encadrement de la fenêtre. Commencez par la bordure extérieure, puis remplissez la surface.

5 Terminez par l'appui de fenêtre en suivant cette progression : dessous, côtés, devant, puis dessus.

6 Pensez à faire coulisser les châssis de temps en temps au cours de leur séchage, afin qu'ils ne risquent pas de rester collés.

7 L'intérieur de l'encadrement abritant les cordes et poulies ne doit être peint qu'après séchage complet des châssis, ce qui leur évitera de coller à l'encadrement.

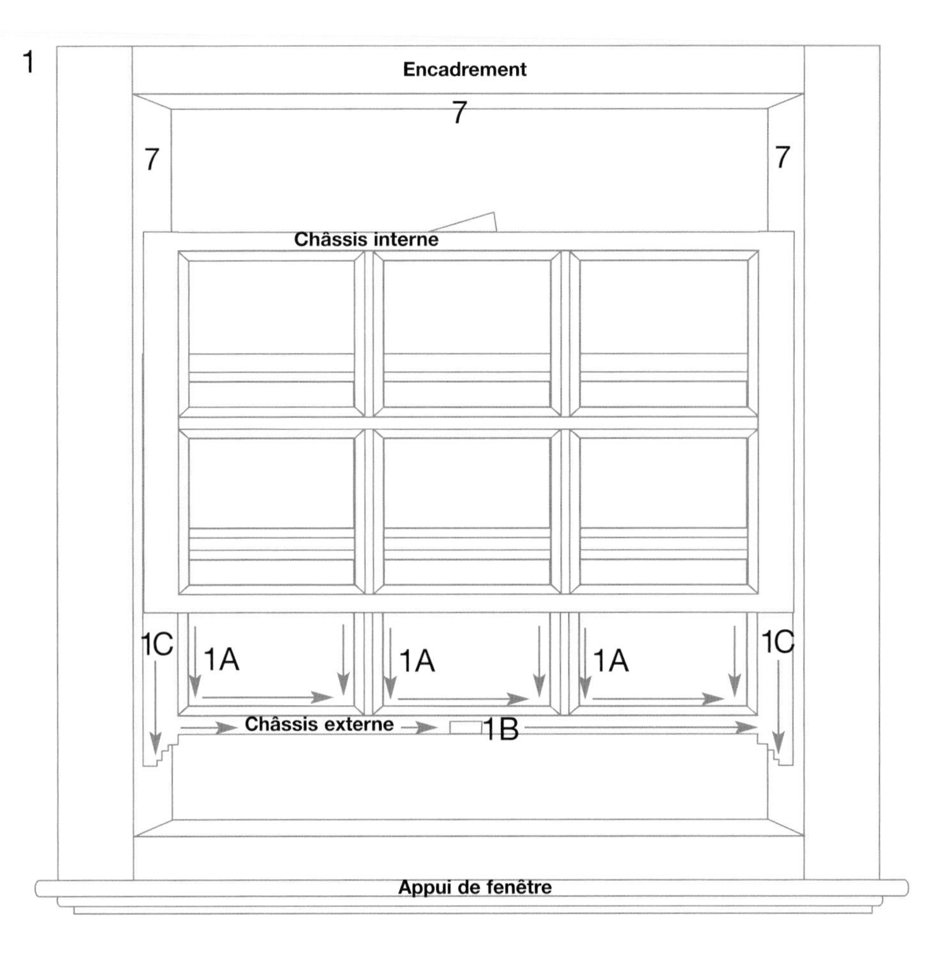

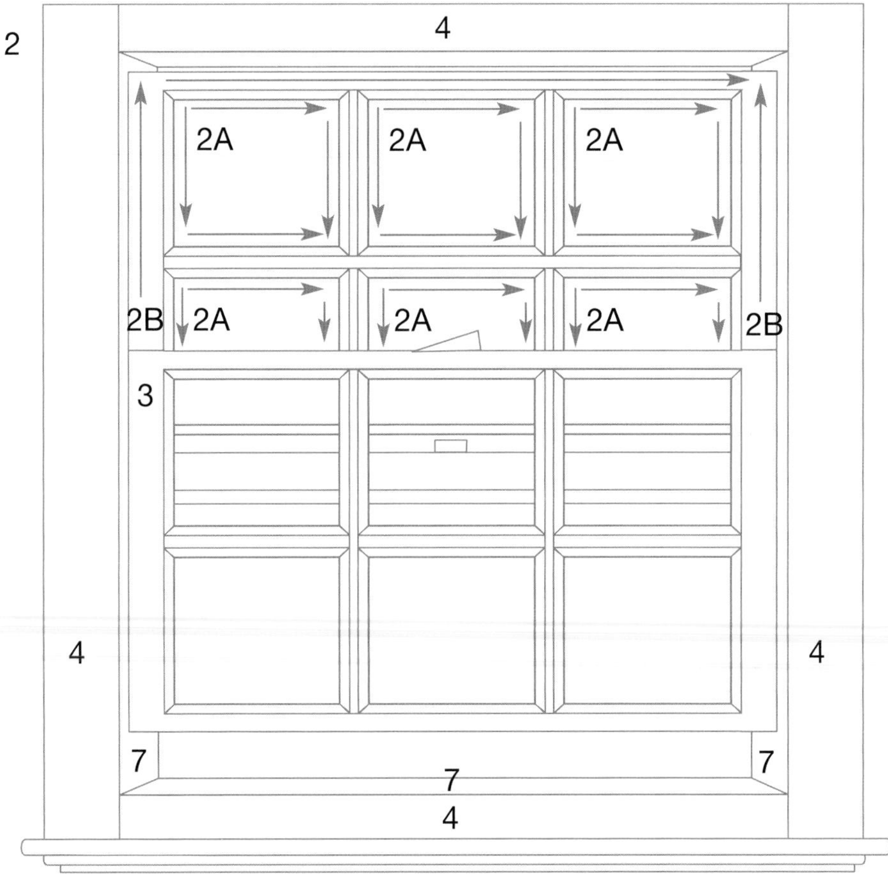

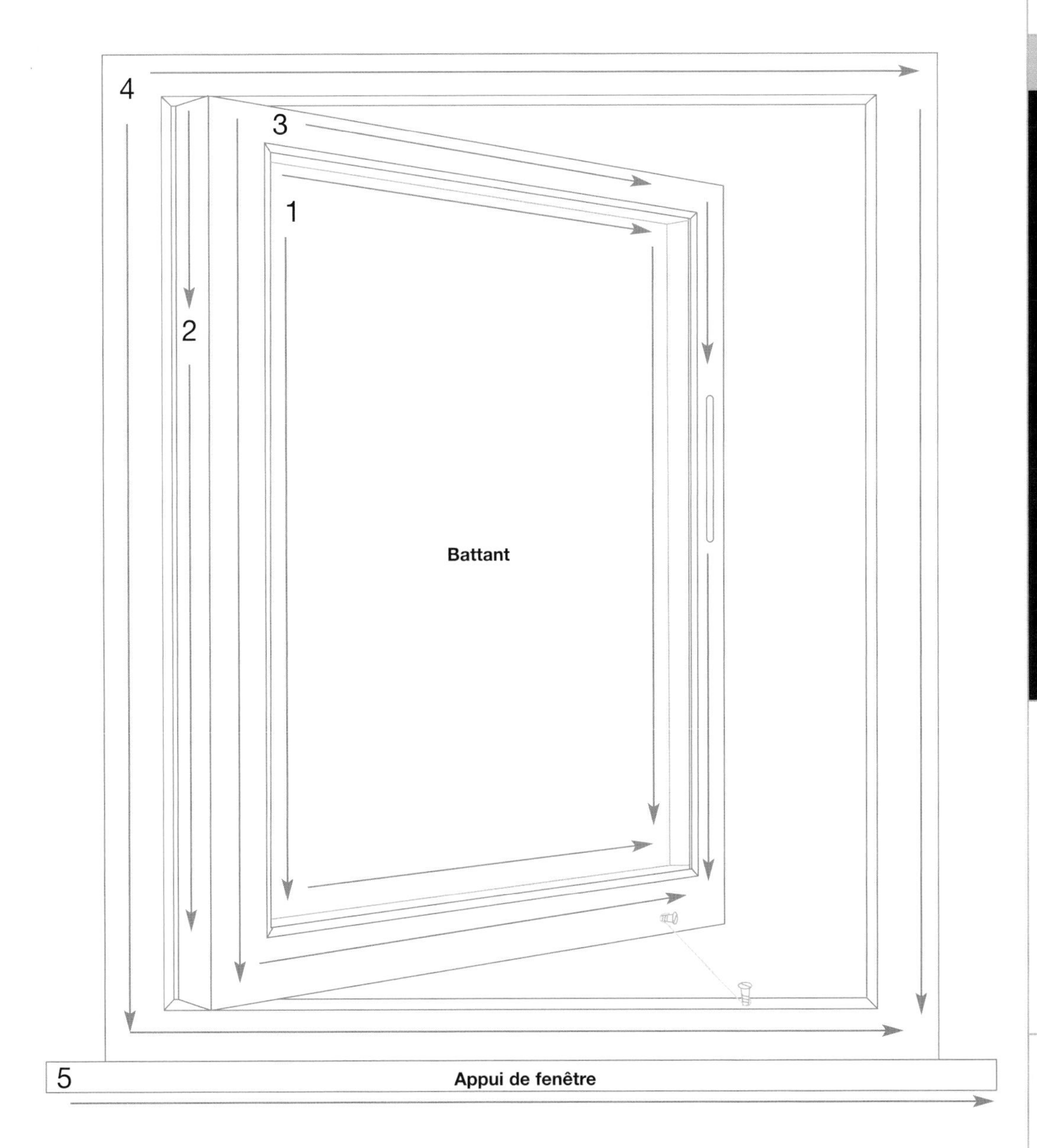

Fenêtre à un ou deux battants

Avant de commencer, démontez la crémone ou la poignée et rangez-les dans un sac en plastique avec les vis pour ne pas risquer de les perdre. Remettez une vis dans l'un des trous du battant et une autre dans l'un des trous de l'encadrement. Maintenez-les à l'écartement voulu en enroulant autour un morceau de fil de jardiner, ce qui évitera au battant de s'ouvrir ou de se fermer sous l'effet d'un courant d'air pendant que vous travaillez.

1 Une fois la fenêtre fermée, peignez le bord des vitres et les petits bois en travaillant de haut en bas.

2 Ouvrez le battant et peignez ensuite le chant sur lequel se trouvent les paumelles.

3 Passez aux traverses et montants en commençant par la traverse supérieure, toujours en opérant de haut en bas.

4 Pour peindre l'encadrement, commencez par les bords en contact avec le mur et recouvrez ensuite la partie plate, sans oublier la feuillure. Ne refermez pas la fenêtre avant que les zones qui se touchent ne soient complètement sèches. Les baies fixes ne présentent pas de difficultés : travaillez de haut en bas, en effectuant un tracé net au niveau des vitres.

5 Terminez par l'appui de fenêtre en peignant d'abord le dessous, puis les côtés, le devant et le dessus.

POINTS CLÉS

Commencez tôt le matin afin de pouvoir fermer des fenêtres sèches le soir.
Suivez la progression recommandée ici.
Enlevez les accessoires de fermeture : ils restent propres et la finition est plus nette.
Grâce à la bande cache, les vitres sont protégées ; ôtez-la quand tout est sec.
La peinture à séchage rapide convient bien aux fenêtres.
Moins adhérente, elle permet aux parties qui se touchent de ne pas rester collées.
Petites brosses Essayez-en plusieurs : vous trouverez celles qui vous conviennent le mieux.

Truc

Si vous décidez de faire réviser vos fenêtres, faites-le avant de les repeindre, pas après !

Autres fenêtres

Il existe de nombreuses variations de ces deux types de fenêtres, constituées de matériaux divers. Les mêmes règles s'appliquent à toutes. Travaillez de l'intérieur vers l'extérieur et de haut en bas. Faites preuve de minutie en traçant les bords à l'aide d'une brosse fine. Si vous avez de vieilles fenêtres en PVC qui ne peuvent être remises à neuf avec un nettoyant spécial, peignez-les. Utilisez une sous-couche spéciale qui permettra à la surface d'accrocher la peinture : il vous suffit ensuite de passer les couches de finition.

La porte est la première chose que vous voyez quand vous entrez dans une maison ou une pièce. Soignez donc la finition de cet élément fondamental de votre décor.

PRÉPARATION

Vérifiez que les portes s'ouvrent et se ferment correctement. Si elles ont besoin d'être réparées, faites-le faire avant de commencer la peinture ! Retirez, si possible, les poignées, les plaques de propreté ou autres accessoires et rangez-les dans un sac en plastique avec les vis. Attention à la poussière noire qui se trouve parfois derrière les vieilles poignées de métal et au niveau des paumelles : créée par frottement depuis de nombreuses années, elle est grasse et se révèle souvent difficile à nettoyer quand elle macule un support. Ayez un chiffon tout prêt pour l'éliminer avant qu'elle ne provoque des taches. Si vous n'arrivez pas à retirer les poignées, enveloppez-les dans du film étirable – vous pouvez préalablement passer un peu de vaseline dessus, ainsi que sur les gonds : ce produit forme une barrière protectrice pour les éclaboussures, mais veillez à ne pas en mettre sur la porte elle-même.

Nettoyez, poncez et enduisez si nécessaire (p. 60-63). Couvrez de draps les zones avoisinantes et glissez du papier journal, du papier d'apprêt ou du carton sous la porte – que vous maintiendrez ouverte à l'aide dune petite cale de bois ou de carton plié.

Peindre les portes

Truc

Peignez toujours dans le sens des fibres du bois. Donnez des coups de brosse horizontaux pour les éléments horizontaux, et des coups verticaux pour les éléments verticaux, en travaillant de haut en bas.

Portes pleines

Une brosse de 75 mm est idéale pour ces surfaces lisses mais si elle vous paraît trop lourde, essayez celle de 50 mm. Si les poignées restent en place il vous faut un pinceau inférieur ou égal à 25 mm pour en tracer les contours.

1 Si la porte s'ouvre à l'intérieur de la pièce, commencez par peindre le chant supérieur et celui de la serrure, dont vous tracerez le contour avec soin. Vérifiez que la peinture ne déborde pas sur l'arrière de la porte ou qu'elle ne s'accumule pas sur les arêtes. Si tel est le cas, essuyez-la avec un chiffon ou avec votre pinceau.

2 Divisez mentalement la surface en sections carrées de 15 à 20 cm de côté et peignez-les de gauche à droite (de droite à gauche si vous travaillez de la main gauche), et de haut en bas, comme indiqué sur le diagramme. Commencez en haut à gauche, appliquez la peinture le plus vite possible, mais sans vous dépêcher, en croisant les coups de pinceau. Lissez horizontalement, puis verticalement afin de n'oublier aucune zone et terminez par un lissage de bas en haut pour éviter les coulures. Passez ensuite à la section adjacente en veillant à ce que les bords de votre travail restent humides, pour effectuer des reprises invisibles. Lorsque vous avez peint la bande supérieure de la porte, lissez le tout avec des coups de pinceau de haut en bas.

3 En partant du bord humide, peignez la bande suivante, section par section. Quand elle est terminée, lissez avec des coups de pinceau de bas en haut.

4 Procédez de la même façon sur toute la surface, en veillant à éliminer immédiatement les coulures éventuelles, avec des coups de pinceau de bas en haut – surtout si vous utilisez de la laque. De temps en temps, passez les deux faces de la brosse sur une zone non encore peinte ou un morceau de papier d'apprêt pour en éliminer l'excès de peinture. Appliquez la deuxième couche en suivant la même progression.

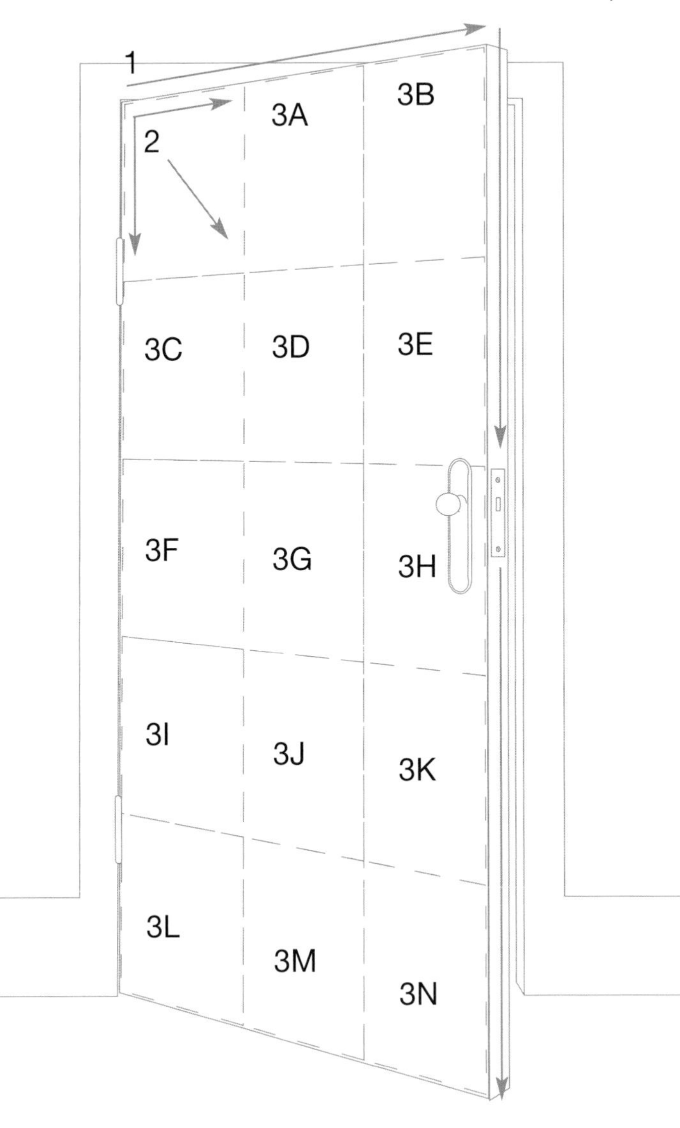

Sens d'ouverture

Quand vous vous tenez dans une pièce, le chant de la serrure qui fait face à la pièce quand la porte est ouverte doit être peint, de préférence, de la couleur de la porte fermée. Ce détail a son importance quand la porte n'est pas de la même couleur des deux côtés. Imaginons une porte bleue côté chambre et blanche côté couloir : si la porte s'ouvre à l'intérieur de la pièce, le devant et le chant de la serrure seront visibles en même temps : ils doivent être peints en bleu. En revanche, du couloir, c'est l'autre côté de la porte et le chant des paumelles qui sont visibles : leur couleur doit être blanche, tout comme celle de la feuillure contre laquelle s'applique le chant des paumelles. La feuillure supérieure et celle contre laquelle s'applique le chant de la serrure doivent être assorties à la couleur de ce dernier : elles seront peintes en bleu.

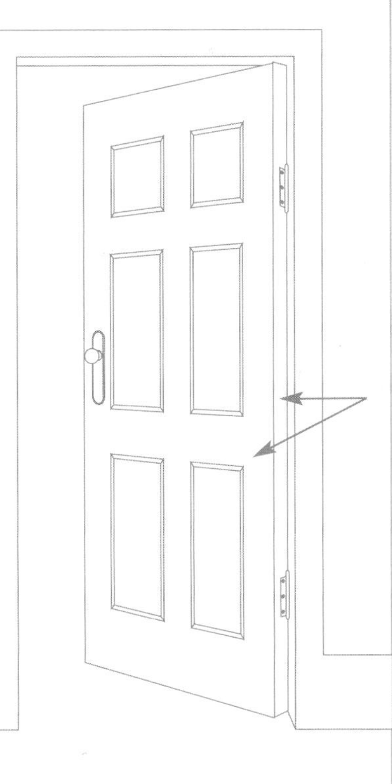

Portes à panneaux pleins

Une porte à panneaux pleins est un élément complexe construit en bois tendre ou dur. Les parties verticales sont les montants et les parties horizontales, les traverses. Choisissez une brosse qui convient à la largeur de ces éléments. Peignez chaque partie dans le sens des fibres du bois.

1 Commencez par peindre le chant supérieur de la porte puis celui de la serrure dont vous tracerez le contour avec soin. Vérifiez que la peinture ne déborde pas sur l'arrière de la porte ou qu'elle ne s'accumule pas sur les arêtes. Si tel est le cas, essuyez-la avec un chiffon ou avec votre pinceau.

2 Peignez les moulures du panneau situé en haut à gauche, puis le panneau lui-même. Unifiez chaque section en passant légèrement la brosse sur la peinture de bas en haut.

3 Peignez la moulure du panneau situé à droite du premier et progressez ainsi en avançant de gauche à droite et de bas en haut. Éliminez immédiatement toute marque de coulure ou autre imperfection avec des coups de brosse de bas en haut.

4 Peignez le ou les montants de séparation des panneaux de haut en bas. Appliquez une couche de peinture régulière, en travaillant dans le sens des fibres et en terminant par un lissage, de bas en haut.

5 Passez ensuite aux traverses, en commençant par le haut et en travaillant dans le sens des fibres.

6 Enfin, peignez les deux montants latéraux. Lorsque vous avez terminé, inspectez la porte entière pour éliminer les coulures éventuelles qui peuvent surtout se révéler au niveau des moulures, en passant doucement le pinceau de bas en haut.

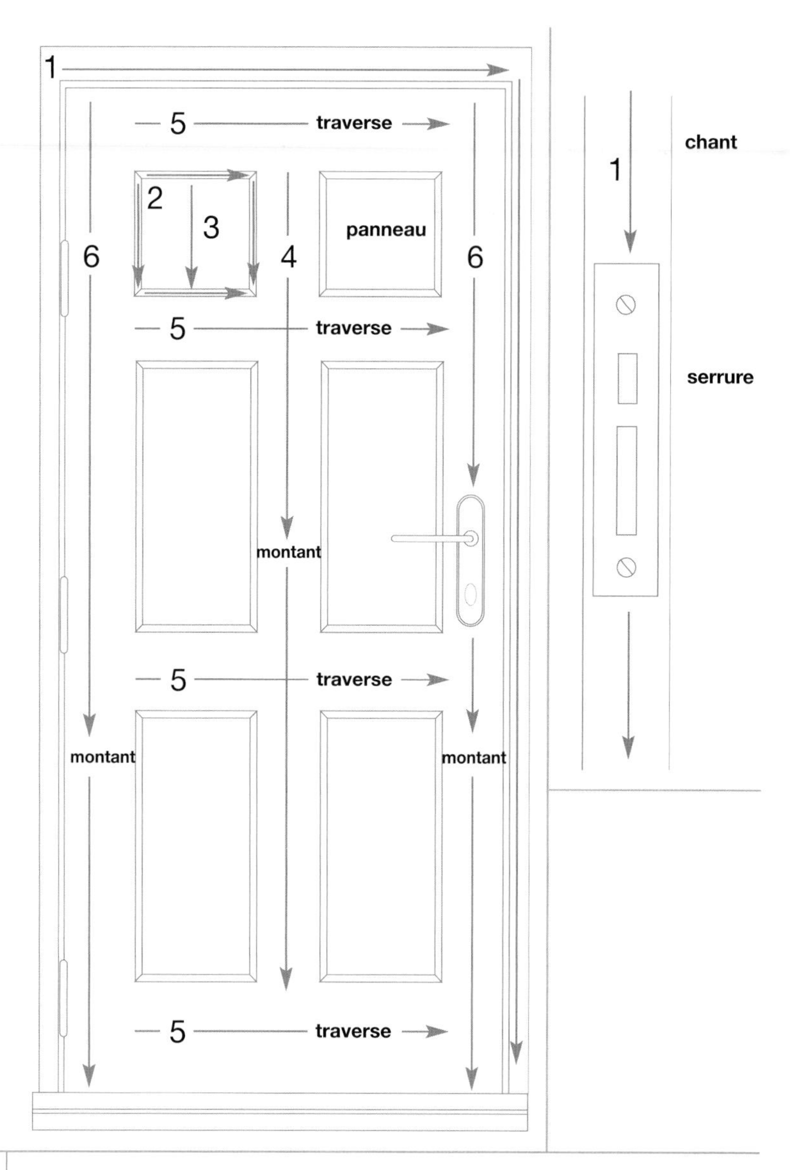

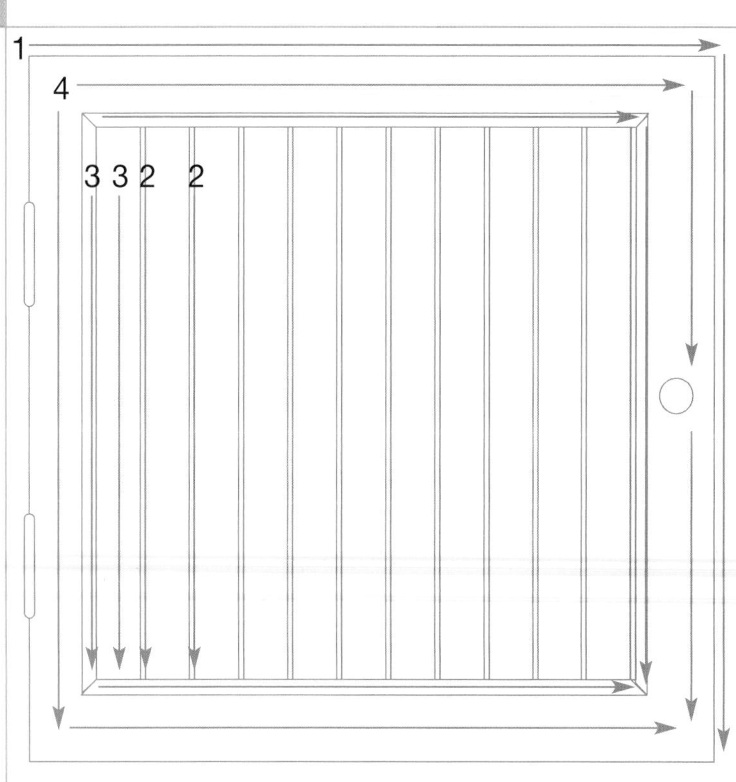

Portes à panneaux à lames

Habituellement constituées de bois tendre, ces portes sont formées de planches dont l'assemblage de rainures et languettes est renforcé par des barres et écharpes. Il s'agit parfois d'éléments constitutifs de portes fermières (dont le haut et le bas s'ouvrent séparément). Ces portes peuvent être difficiles à entretenir car les intempéries déforment le bois qui expose alors les parties non peintes.

1 Peignez le chant supérieur et celui de la serrure, dont vous tracerez le contour avec soin – le chant des paumelles sera peint avec l'extérieur de la porte.

2 En utilisant un petit pinceau, peignez les languettes séparant les planches en vous assurant que la peinture pénètre dans les recoins. Peignez ensuite les planches elles-mêmes avec une brosse plus large (50 mm maximum).

3 Passez ensuite à la moulure encadrant les lames.

4 Terminez par la peinture de l'encadrement en suivant les veines du bois. Éliminez les coulures au fur et à mesure.

Portes vitrées

Ces portes, constituées de bois dur ou tendre, peuvent être vitrées sur leur partie supérieure, ou sur toute leur hauteur. Ne mégotez pas sur l'estimation du temps dont vous allez avoir besoin : le nombre de petits bois exigeant un tracé délicat à l'aide d'une brosse fine, cela risque d'être long… Utilisez le pinceau qui vous convient le mieux, en général celui de 25 mm.

1 Commencez par peindre le chant supérieur de la porte ainsi que celui des paumelles. S'il s'agit d'une porte extérieure, les chants supérieur et inférieur doivent, en principe, être de la même couleur que l'extérieur.

2 Vous pouvez protéger les carreaux avec du ruban de masquage ou – solution plus rapide – utiliser un pinceau fin pour peindre soigneusement les petits bois qui les bordent. En commençant en haut à gauche, peignez la moulure autour du premier carreau. Peignez tous les petits bois en travaillant horizontalement, puis passez à la rangée suivante.

3 Peignez les deux traverses supérieure et inférieure, puis les deux montants. Lissez au fur et à mesure et terminez par des coups de pinceau de bas en haut.

Si la porte vitrée est à deux battants, opérez de même pour le second battant. Quand il s'agit d'une porte extérieure, peignez les chants du système de verrouillage en même temps que l'extérieur de la porte. Si vous avez utilisé de la bande cache, ne la retirez pas avant que la peinture soit complètement sèche, mais ne la laissez pas trop longtemps en place car elle serait alors difficile à décoller.

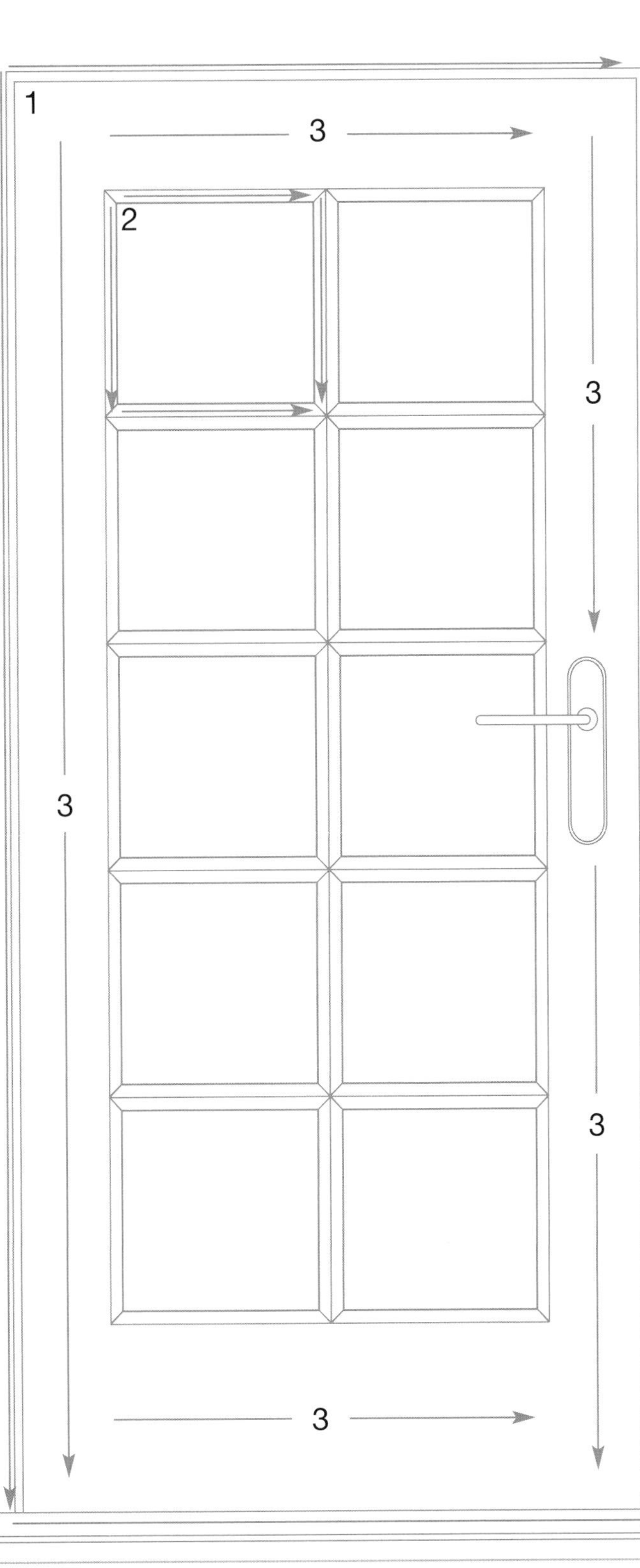

POINTS CLÉS

Ôtez les accessoires de la porte pour ne pas les salir.
Travaillez méthodiquement et peignez la porte en une journée.
Brosse large Utilisez la plus commode pour vous : elle vous permettra d'aller vite.
Bords humides Ne laissez pas sécher les bords pour obtenir des reprises invisibles.
Pas de panique en cas de coulures ou poussière : laissez sécher, poncez et recommencez.
Écartez les enfants et animaux de votre chantier, jusqu'à séchage complet de la peinture !

Encadrements

Choisissez des brosses de la largeur de l'encadrement – entre 25 et 50 mm. Pour les feuillures, travaillez de l'intérieur vers l'extérieur (d'abord la partie en relief puis la feuillure elle-même). Peignez ensuite le bord extérieur du bâti (côté mur), puis remplissez la surface.

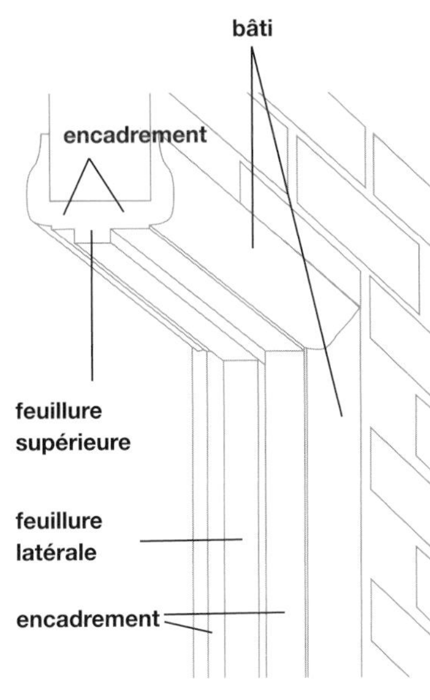

Porte en PVC

Si une porte ne peut être rénovée, vous pouvez la peindre. Utilisez des produits spéciaux pour PVC – le primaire permettra à la surface de bien accrocher la peinture et lui assurera une belle finition.

Truc

Si vous retirez la poignée de la porte et que celle-ci se referme par accident, vous ne pourrez plus sortir de la pièce. Remettez l'axe de la poignée dans l'orifice afin de pouvoir ouvrir. Un grand tournevis peut également faire l'affaire – vérifiez que vous en avez un de la bonne taille.

Une couche de peinture ou de vernis sur vos placards, bibliothèques ou autres meubles, encastrés ou non, vous permet de donner à votre intérieur une touche très personnelle.

ORGANISEZ-VOUS

La logique s'impose. Vous pensez peut-être que vous avez fait preuve d'une grande persévérance pour peindre votre pièce, mais la tâche la plus décourageante consiste à vous attaquer aux éléments tels que les étagères, les placards et autres meubles, encastrés ou non. Examinez l'étagère la plus simple, constituée de planches posées sur des tasseaux. Chaque planche comporte cinq surfaces à peindre : le dessus, le dessous, le chant de devant et les chants de côté. Multipliez ce chiffre par le nombre de planches et par le nombre de couches à appliquer : vous commencez à avoir une idée de l'étendue du travail. Si vous envisagez de peindre des structures élaborées, comme les placards de cuisine, la tâche est encore plus complexe : il faut peindre l'intérieur, (haut, côtés, bas), les portes (dos, devant, quatre chants), et l'extérieur si le meuble n'est pas encastré. Ajoutez à tout cela les tiroirs et autres placards… Plusieurs heures de travail en somme !

Il est capital de planifier le travail et de procéder avec logique. Opérez de haut en bas et d'arrière en avant, ce qui vous permettra de n'être jamais en contact avec une surface humide.

Truc

Si vous peignez des étagères déjà peintes, poncez la peinture ancienne, passez un chiffon humide et appliquez deux couches de peinture acrylique – vous n'avez pas besoin de sous-couche. Attention à respecter le temps de séchage, plus long que sur un support décapé, pour ne pas gâcher la finition en posant trop tôt des objets sur les planches.

Peindre des placards et des étagères

Placards encastrés

Si les étagères font partie d'un meuble encastré, n'essayez pas de les démonter. Retirez les éléments de métal du placard – serrures des portes –, et rangez-les dans un sac en plastique avec un papier indiquant leur provenance. Si les étagères sont amovibles, retirez-les et posez-les à plat. Peignez le dessous, puis le dessus et le chant de face.

Pour le reste du placard, travaillez de l'arrière vers l'avant. Peignez le fond, le haut, les côtés puis le bas. Si les étagères sont fixes, peignez le dessous des planches, le dessus puis le chant avant. Veillez à toujours suivre la progression prévue – il est facile d'oublier des sections entières lorsque le meuble est complexe, en particulier lorsque la première couche a été passée. Éliminez les coulures éventuelles au fur et à mesure.

Les portes de placard sont plus faciles à peindre si elles sont amovibles, mais vous pouvez éprouver des difficultés à les remonter. Démontez une porte, et si vous avez du mal à la réinstaller, laissez les autres en place. Quand vous démontez toutes les portes, numérotez-les et faites un schéma de leur emplacement. Ôtez les paumelles et les serrures et rangez-les soigneusement. Laissez sécher complètement avant le remontage. Si vous décidez de laisser les portes en place, peignez l'intérieur, l'extérieur, puis le chant avant.

Étagères

Si votre étagère est démontable, elle sera beaucoup plus facile à peindre une fois les éléments séparés. Si elle est assemblée à l'aide de vis spéciales, utilisez la clé adaptée ; s'il s'agit de vis ordinaires, utilisez une visseuse électrique afin d'épargner une fatigue inutile à vos poignets. Pour reconstituer une étagère sans difficulté, il est recommandé de remettre les montants, tasseaux et planches exactement à leur place : il vous faut donc en faire un schéma sommaire. Au fur et à mesure du démontage, numérotez chaque élément en collant sur le dessous un morceau de bande cache. Reportez ces numéros sur votre schéma. Mettez toutes les vis dans un sac en plastique et rangez-les précieusement. Lorsque vous remontez la structure, assurez-vous que les vis tiennent bien – la vis elle-même ou le bois s'abîment parfois et le revissage devient problématique. Si vous avez un doute, faites appel à un spécialiste pour ne pas risquer un accident.

Préparez les planches en ponçant, enduisant et imprimant toutes les surfaces (chants compris). Commencez par peindre le dessous ; lorsqu'il est sec, peignez le dessus, puis les chants (avant et côtés). Il est important de laisser sécher le film en profondeur pour éviter que les objets posés dessus ne l'abîment.

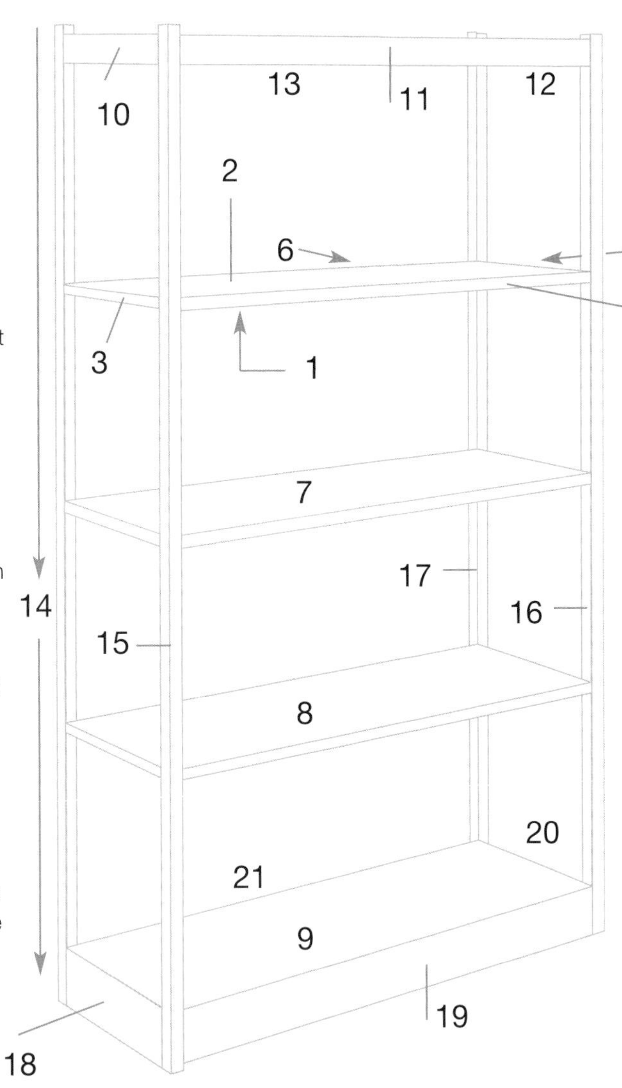

POINTS CLÉS

Temps De « petits tâches » peuvent prendre beaucoup de temps. Restez calme et faites des pauses.
Émanations Attention quand vous travaillez dans des placards. Faites des pauses et assurez-vous une bonne ventilation.
Logique Procédez par ordre : d'avant en arrière et de haut en bas.
Peinture acrylique Utilisez-la sur des étagères déjà peintes pour gagner du temps.

Truc

Une couche de vernis au polyuréthane (à l'eau) par-dessus la peinture protégera bien vos planches.

Tiroirs

Les tiroirs doivent également être retirés de leur emplacement pour être peints. Essayez de les tirer entièrement : si des sécurités vous en empêchent, soulevez-les en tirant. Démontez les poignées et rangez-les soigneusement. Posez-les sur la partie arrière et ne peignez que le devant et le chant supérieur. Lorsque la peinture est sèche, remettez-les en place : inclinez l'arrière vers le bas, ajustez-le sur les glissières, soulevez et poussez.

Truc

Si les portes de placard ont un placage ou un revêtement en mélaminé, ils ne doivent pas être peints. Protégez-les avec de la bande cache.

Les sols sont des surfaces vouées à une usure intense, surtout ceux des zones de passage tels que les couloirs. Leur couleur et leur texture – fournies par des peintures, teintes ou vernis – sont un élément de décor essentiel.

TYPES DE FINITION

Tous les sols durs peuvent être peints, y compris le béton, les dalles thermoplastiques ou le parquet – auquel toute peinture convient s'il a été correctement imprimé et fixé, mais il peut également être teinté, ciré, ou vitrifié. Pour les autres matériaux de sol, il est important de trouver le bon primaire/fixateur. L'une des considérations premières doit être la fréquence de passage à laquelle le sol va être soumis : une chambre d'amis peu utilisée ne réclame pas une finition aussi solide qu'une cuisine ou un couloir, par exemple. Faites votre choix en fonction de ce critère fondamental.

Peindre les sols

Sols de béton

Les sols de béton peuvent poser des problèmes. Depuis les années 1970, les sols durs sont posés sur du polyane (film imperméable) : les chapes coulées avant cette date, souvent humides, empêchent la peinture d'adhérer correctement ; elle finit par s'écailler. Testez le sol avec un détecteur d'humidité. S'il est humide, il est préférable de ne pas le peindre. S'il est sec, frottez-le préalablement avec un détergent puissant et rincez-le abondamment. Les surfaces inégales peuvent être corrigées avec un enduit de ragréage (lissage) ; ces produits durcissent bien et supportent un passage fréquent.

Ne peignez pas de béton récemment coulé ; attendez au moins six mois. Une poussière constituée de surplus de ciment et de sable se forme pendant plusieurs mois et doit être éliminée avant que le sol ne soit recouvert. Pour ce faire, vous pouvez employer un produit à base d'acide chlorhydrique – lisez soigneusement les instructions et suivez-les à la lettre. Appliquez le produit en le faisant pénétrer à l'aide d'une brosse raide. Après quinze minutes, délai nécessaire à la réaction chimique, rincez abondamment et laissez sécher complètement. Le sol peut alors être fixé et peint.

Il existe de nombreuses marques de peintures pour béton. Suivez les instructions pour le choix d'un primaire et pour l'application de la peinture.

Parquets

Préparation
Si vous désirez une finition naturelle, vous devez décaper le bois : il existe une foule de produits pour dévitrifier un parquet ou éliminer la cire (p. 62-63). Cette opération, suivie d'un ponçage, prépare correctement le parquet à recevoir la peinture. Bouchez ensuite les trous avec un enduit flexible – les enduits bi-composants pour bois conviennent à cet usage.

Ponçage des parquets
La solution la plus efficace pour poncer le parquet est de louer une ponceuse industrielle. Ces appareils sont équipés de tambours auxquels sont fixées les feuilles de papier abrasif ; un sac récolte la poussière à l'arrière. Pour les bords, il vous faudra également une « ponceuse bordureuse ». Le ponçage génère énormément de poussière : portez un masque, ainsi que des protections auditives. Avant de commencer, veillez à éliminer tous les clous saillants.

1 Utilisez d'abord un papier abrasif épais et travaillez dans le sens des fibres du bois.

2 Repassez sur la surface entière. Travaillez dans le sens des fibres, en employant un papier moyen, puis un papier fin.

3 Poncez les bords avec la « bordureuse ». Laissez retomber la poussière – vous pouvez pulvériser un peu d'eau – et passez l'aspirateur en changeant le sac quand il est à moitié plein pour éviter l'engorgement des filtres.

POINTS CLÉS

Un peu de logique
Commencez toujours à peindre au fond d'une pièce en travaillant en direction de la porte.
Les parquets Appliquez un vitrificateur acrylique ou au polyuréthane pour une finition naturelle très solide.
Carrelage Il existe des primaires/fixateurs spéciaux pour les carrelages ou dalles thermoplastiques.
Les sols de béton anciens, souvent humides, ne doivent pas être peints.
Sols de béton récents Peignez-les au bout de six mois, après application d'un enduit de ragréage.

Finition naturelle du parquet
Lorsque le sol est décapé, poncé et que la poussière a été éliminée, vous pouvez choisir entre plusieurs finitions (p. 20-23). Commencez par appliquer votre teinte ou votre vitrificateur dans le coin le plus éloigné en travaillant en direction de la porte. Utilisez des brosses aussi larges que possible – 75 ou 100 mm. Assurez-vous que la pièce est bien ventilée et écartez toute source de flammes.

Peinture du parquet
Décapez la surface, si besoin est. Vous pouvez la poncer ensuite, pour obtenir un sol bien lisse, mais cette étape n'est pas toujours nécessaire. Bouchez les trous avec un enduit pour bois de qualité, puis préparez les lames avec un primaire/fixateur spécial, un primaire universel, un primaire acrylique ou un primaire à l'huile ; commencez toujours à l'endroit le plus éloigné en prenant une grande brosse de 75 ou 100 mm et en travaillant en direction de la porte. Les primaires à l'huile se révèlent très adhérents et sèchent relativement vite, ce qui est important si vous ne pouvez interdire l'utilisation du sol trop longtemps. Une fois que la surface est imprimée, vous pouvez la recouvrir de n'importe quelle finition. Laissez la peinture sécher le temps qu'il faut – quelques jours – puis appliquez plusieurs couches de vernis. Les vernis à l'huile sont résistants et imperméables ; ceux au polyuréthane sont également très solides et, bien que plus épais, sont parfaits pour les sols. Toutefois, ces deux types de finition ont tendance à jaunir. Les vernis acryliques (à l'eau), très résistants, sont moins épais, ne jaunissent pas et sèchent vite.

Truc

Si vous peignez le sol, vous pouvez l'orner d'une bordure au pochoir. L'effet en est souvent très heureux, surtout dans une chambre d'enfant.

Donnez à votre pièce sa touche finale en peignant les radiateurs en harmonie avec le nouveau décor et en intégrant les tuyaux dans leur environnement – s'ils sont trop visibles, envisagez de les faire encastrer.

Peindre les radiateurs et les tuyaux

PEINTURE SPÉCIALE

En raison des températures élevées qu'ils atteignent en hiver, les radiateurs ne peuvent être recouverts de peintures ordinaires. Les peintures à l'huile, qui ont tendance à jaunir, cloquent et s'écaillent. Les produits universels ont une meilleure chance de survie, mais la température pose toujours un problème. Il existe des peintures spéciales pour radiateurs qui donnent des résultats durables – le blanc ne jaunit pas mais la gamme de couleurs proposée est réduite. Elles supportent la chaleur et donnent une finition très résistante qui ne s'écaille pas. Lisez soigneusement les instructions du fabricant, en particulier les avertissements : nombre de ces produits provoquent de fortes émanations. Ouvrez les portes et les fenêtres pour créer des courants d'air. Ne fumez pas et éliminez toute source de flammes.

Peindre un tuyau

Les tuyaux de cuivre nus doivent être passés au white-spirit et poncés très légèrement pour que la surface puisse accrocher la peinture. Appliquez un primaire pour métal, puis une sous-couche à l'huile, suivie d'une finition à l'huile ou d'une peinture universelle. N'appliquez pas de peintures à l'eau directement sur les tuyaux de cuivre car cela favoriserait leur corrosion. Les avis sont partagés en ce qui concerne les tuyaux d'évacuation en plastique. Certains professionnels les lavent à grande eau, les poncent légèrement pour qu'ils puissent accrocher la peinture et appliquent une couche de laque à l'huile. Une autre méthode consiste à y appliquer un primaire universel qui peut être recouvert de n'importe quelle finition.

Peindre un radiateur

Le radiateur doit être froid. S'il est recouvert d'une peinture écaillée, ou de plusieurs couches mal appliquées, il n'existe malheureusement pas de moyen facile de le décaper correctement. La seule option – coûteuse – qui se présente à vous consiste à demander à un plombier de le vidanger, de le retirer et de le faire décaper au sable. Si vous le poncez vous-même, essayez d'obtenir la surface la plus lisse possible – en vous assurant que l'ancienne peinture ne contient pas de plomb – et acceptez l'idée qu'il aura meilleure allure mais ne sera pas parfait. Recouvrez le sol autour du radiateur avec du papier d'apprêt que vous pouvez faire remonter aisément le long des plinthes. Utilisez une brosse de 38 mm maximum. Les peintures spéciales pour radiateur mettent les pinceaux à rude épreuve : choisissez des fibres synthétiques et prévoyez également des pinceaux plus petits pour les recoins. Utilisez une brosse à radiateur (à long manche et recourbé) pour peindre l'arrière et les endroits peu accessibles.

1 Nettoyez le radiateur avec une lessive décapante et rincez abondamment. Si l'élément est recouvert d'une peinture à éliminer, poncez-le avec du papier abrasif épais, puis avec du papier moyen. Si la surface est correcte, frottez-la un peu avec du papier moyen pour qu'elle accroche bien la peinture. Époussetez avec un chiffon humide ou dépoussiérant, et passez l'aspirateur.

2 S'il y a des taches de rouille, le traitement classique consiste à appliquer un primaire antirouille. Toutefois, une peinture aux propriétés antirouille peut parfois être plus efficace. Poncez les taches et appliquez-y le produit choisi. Suivez bien les instructions du fabricant concernant le temps de séchage. Lorsque cette impression est entièrement sèche, poncez et essuyez la surface avant d'appliquer la couche de finition.

3 Les peintures spéciales pour radiateurs ne sont pas faciles à appliquer. Ayez à portée de main le diluant approprié et trempez-y l'extrémité de la brosse pour faciliter l'étalement. Commencez par le haut et travaillez de gauche à droite en descendant progressivement. Éliminez les coulures au fur et à mesure et suivez les instructions relatives au temps de séchage. Quand la première couche est sèche, appliquez-en une deuxième.

4 Nettoyez, imprimez et peignez les tuyaux du radiateur en vous reportant à la page précédente.

5 Nettoyez vos pinceaux en suivant les instructions du fabricant. Respectez le temps de séchage indiqué : quand le film est complètement sec, rallumez le radiateur si besoin est.

POINTS CLÉS

Peinture au plomb Vérifiez son absence sur les radiateurs antérieurs à 1960.
La peinture pour radiateur est idéale mais n'existe que dans une gamme limitée de couleurs.
Les peintures universelles conviennent aux radiateurs mais il vous faudra repeindre ces éléments plus rapidement.
Imprimez le métal Imprimez les tuyaux avec un primaire spécial.
Tuyaux de cuivre N'appliquez jamais une peinture à l'eau sur du cuivre non imprimé : cela favoriserait la corrosion.
Les tuyaux de plastique peuvent être rénovés : primaire universel et peinture de finition.

Truc

Si l'aspect de votre radiateur est irrécupérable, vous pouvez le dissimuler derrière un cache-radiateur. Ces éléments, qui existent sous une variété de matériaux et de formes, peuvent être peints en harmonie avec votre décor.

PROBLÈMES ET SOLUTIONS

Quels que soient le soin que vous apportez à votre travail et celui avec lequel vous suivez toutes les instructions, vous serez confrontés à quelques soucis. Pas de panique : tout problème a une solution ! Un peu de réflexion vous suffira la plupart du temps. Si vous ne pouvez résoudre la question par vous-même, demandez conseils – dans un magasin de peinture, une grande surface de bricolage, auprès du fabricant du produit utilisé, ou encore en effectuant des recherches sur Internet. Ces petits contretemps vous permettront de mieux comprendre ce qui se passe et vous encourageront éventuellement à entreprendre des travaux plus complexes dans le futur. Les pages suivantes évoquent les problèmes courants en analysant leurs causes et en proposant des solutions ; elles contiennent également un glossaire et un aide-mémoire. Bon courage !

Réapparition des taches

Réapparition, à la surface de la peinture, d'une substance recouverte par cette dernière. La résine suinte au niveau des nœuds sur les bois tendres : utilisez toujours une pâte à bois pour les fixer, que le bois soit neuf ou que vous décapiez un bois ancien. Les teintes et cires peuvent aussi suinter. Un bon primaire/fixateur prévient ce phénomène.

Que faire ?

Ne faites rien tant que la peinture n'est pas entièrement sèche. Si les nœuds ont suinté, frottez l'endroit concerné avec un papier abrasif fin. Appliquez ensuite deux couches de pâte à bois, suivies d'une couche de primaire/fixateur, puis repeignez la zone entière. Respectez le temps de séchage indiqué entre chaque couche.

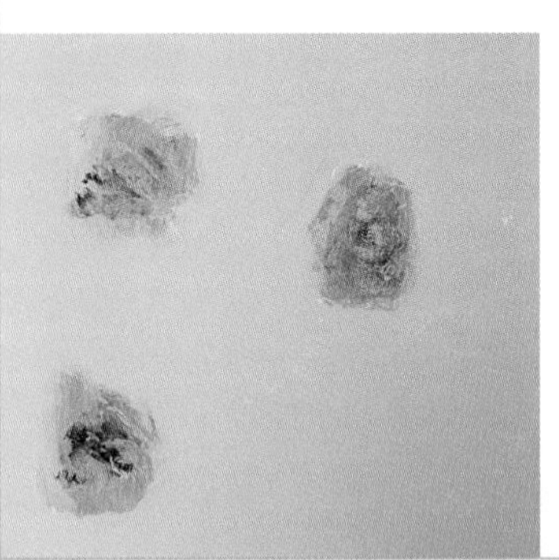

Si vous avez utilisé un produit contre l'humidité, celui-ci contient peut-être du bitume susceptible de suinter : appliquez un primaire à base d'aluminium pour le fixer. Repeignez quand tout est sec.

Boursouflures

La peinture à l'huile se boursoufle au soleil ; les couleurs foncées, qui absorbent davantage la chaleur, sont particulièrement vulnérables.

Que faire ?

Voir « Cloques » et assurez-vous, après avoir repeint, que la surface est à l'abri du soleil.

Adhérence inopportune

C'est ce qui se produit quand le temps de séchage a été insuffisant et que deux objets adhèrent l'un à l'autre : porte collant à la feuillure, ou battants d'une fenêtre trop tôt refermée. Ce phénomène est plus courant avec certaines peintures bon marché. Pour éviter ce problème, utilisez des peintures acryliques (à l'eau) à séchage rapide. Commencez à travailler le plus tôt possible dans la journée afin de permettre à la peinture de sécher avant que les surfaces entrent en contact. Attention, le temps qu'il fait peut influer sur la durée du séchage.

Que faire ?

Laissez bien sécher la peinture et frottez-la avec un papier abrasif fin pour la lisser. Appliquez un primaire adéquat si nécessaire, et repeignez avec un produit de bonne qualité. Si le problème persiste, saupoudrez les surfaces avec du talc avant de les mettre en contact.

Cloques

Causées par la présence d'humidité au niveau des sous-couches, les cloques surviennent essentiellement sur la peinture à l'huile mais elles peuvent se produire sur de la peinture à l'eau dans des endroits très humides.

Que faire ?

Laissez bien sécher la zone concernée et poncez-la avec du papier abrasif fin ou à l'eau. Enduisez si nécessaire et appliquez un primaire/fixateur. Effectuez les retouches avec le produit de finition.

Polissage inopportun

Polissage excessif d'une zone de peinture, particulièrement apparent sur une finition mate et dû à diverses causes : un nettoyage avec un produit abrasif ; un frottement fréquent ou prolongé – dans les couloirs ou au niveau des portes, par exemple. Les peintures bon marché sont couramment sujettes à ce phénomène.

Que faire ?

Dans les endroits fréquentés, utilisez une peinture de bonne qualité non mate et nettoyez avec des produits et accessoires non abrasifs.

Poussière et salissures

Les particules de poussière ou les salissures emprisonnées dans le film de peinture donnent une finition rugueuse. Il y a plusieurs causes à leur présence :

- Préparation inadéquate : la poussière présente s'est incrustée dans la peinture.
- Brosses poussiéreuses ou sales.
- Poussière sur le couvercle du pot ; assurez-vous que celui-ci est propre avant de l'ouvrir ou essuyez-le avec un chiffon humide. Versez la peinture dans un autre récipient pour limiter les risques.
- Une peau s'est formée sur la peinture ; si vous ne l'enlevez pas avec soin, elle s'effrite.
- Présence d'un ventilateur ou chauffage soufflant qui brassent la poussière : celle-ci se dépose sur la peinture humide.

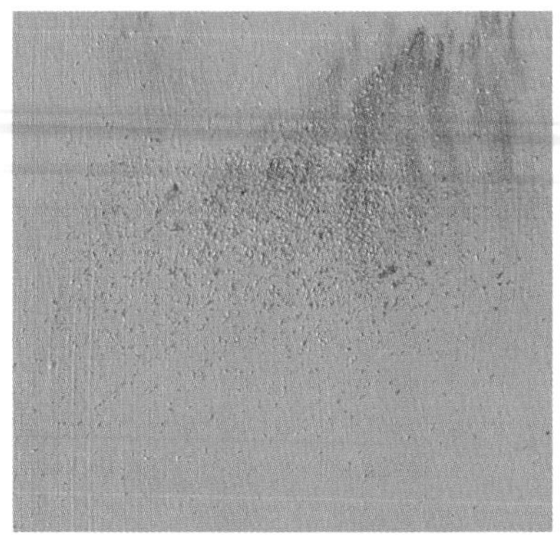

Que faire ?

Quand la peinture a totalement durci – vérifiez la durée indiquée par le fabricant – lissez-la avec du papier abrasif à l'eau ou sec. Lorsque toute la poussière a été éliminée, repassez une couche de finition.

Pochage

La surface de la peinture est constellée de microbulles ou de microcratères. Les causes de ce phénomène, courant avec les peintures à l'eau, peuvent être les suivantes :

- Une préparation inadéquate ou l'absence d'application d'un primaire/fixateur sur des surfaces poreuses.
- Une peinture périmée. Jetez vos peintures anciennes sauf si vous les gardez pour des retouches mineures.
- Un rouleau de texture inadaptée.

Que faire ?

Lissez la surface à l'aide d'un papier abrasif, puis essuyez avec un chiffon humide. Appliquez un primaire/fixateur si la surface est poreuse. Repeignez en n'appuyant pas trop sur la surface et sans déplacer le rouleau trop brutalement.

Moisissures

Dans les pièces très humides telles que les cuisines ou les salles de bains, des taches inesthétiques apparaissent sur les murs. Elles sont causées par une combinaison de mauvaise ventilation, d'humidité élevée et de peinture inadaptée.

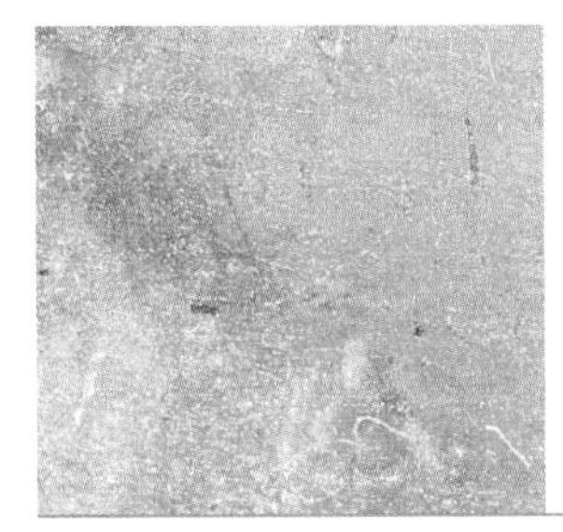

Que faire ?

Utilisez un fongicide spécial, poncez légèrement la peinture et appliquez une peinture adéquate conçue pour les pièces exposées à la vapeur.

Reprises visibles

Lorsque vous peignez une section et que les bords ont séché avant que la reprise du travail n'ait été effectuée, vous obtenez des zones de couleur plus dense qui compromettent la régularité de la finition, car vous faites se chevaucher deux couches à cet endroit. Ce problème survient plus fréquemment avec des peintures à l'eau qui sèchent rapidement, ainsi qu'avec les surfaces absorbantes — si le matériau n'est pas suffisamment préparé et fixé, il aspire la peinture comme du papier buvard en créant un film irrégulier.

Que faire ?

Lissez la surface avec du papier abrasif fin. Appliquez un primaire/fixateur si la surface est poreuse. Divisez la zone à peindre en sections raisonnables et passez la peinture sur une section à la fois en veillant à garder des bords humides. Essayez de ne pas repasser sur des zones déjà peintes et utilisez une peinture de qualité – acrylique si vous avez choisi des produits à l'eau. Prenez votre temps.

Craquelures

Quand un film de peinture épais se craquelle, la peinture a été appliquée trop lourdement et le lissage n'a pas été effectué comme il faut.

Que faire ?

Dans l'idéal, vous devriez éliminer entièrement la peinture en utilisant des décapants chimiques ou en la frottant avec un papier abrasif épais. Repeignez ensuite la surface en appliquant le produit avec plus de douceur et de régularité.

Couverture irrégulière

Cela se produit quand vous utilisez plusieurs méthodes pour appliquer la peinture. Les brosses, rouleaux et pulvérisateurs donnent sur la surface des résultats différents. Si ces zones ne sont pas soigneusement unifiées, vous obtenez divers types de finitions juxtaposés.

Que faire ?

Si vous employez plusieurs applicateurs de peinture, veillez à garder des bords humides et à unifier l'ensemble le plus possible.

Couverture insuffisante

Elle se caractérise par une opacité insuffisante et des marques de pinceau visibles. Pouvant être causée par des brosses trop raides ou mal nettoyées, elle résulte parfois également du passage d'une deuxième couche sur une sous-couche pas tout à fait sèche.

Que faire ?

Frottez la peinture avec un papier abrasif épais pour obtenir un support lisse et régulier. Assurez-vous que vos pinceaux sont nettoyés et les soies bien flexibles. Évitez les brosses trop bon marché et ne peignez pas sur une couche à moitié sèche. Si vous utilisez un rouleau, assurez-vous qu'il est propre et correspond bien au type de peinture utilisé et au but recherché.

Opacité insuffisante

Il arrive que la surface peinte transparaisse au travers de la finition. Les causes de ce phénomène sont nombreuses.

- La couche de finition est trop fine, a été trop étalée ou mal lissée.
- L'outil utilisé a un défaut ou est de mauvaise qualité.
- La peinture, de mauvaise qualité, a peu de pouvoir opacifiant.
- La peinture a été trop diluée.
- La peinture n'a pas été correctement remuée ou mélangée.
- La couleur utilisée a un faible pouvoir opacifiant ; certaines teintes claires ou translucides ont moins de pouvoir opacifiant que d'autres, surtout si elles sont appliquées sur un support foncé.

Que faire ?

S'il est nécessaire, ou recommandé, de diluer la peinture, faites-le de façon mesurée.

Assurez-vous que la couche appliquée est suffisamment épaisse et évitez de trop la lisser. Avant de passer une couche de couleur claire sur une couleur foncée ou sur un support poreux, appliquez un primaire/fixateur de la même teinte que celle de votre finition.

Résistance insuffisante

Lorsqu'une surface est peinte, il arrive que les objets que vous posez dessus laissent une empreinte. Ce phénomène est fréquent sur les étagères ou les appuis de fenêtre, par exemple. Il est souvent dû à une mauvaise qualité de peinture ou au fait que le film n'était pas totalement durci quand vous avez posé l'objet dessus. Les conditions météorologiques affectent aussi les temps de séchage.

Que faire ?

Utilisez toujours une peinture de qualité pour des surfaces très utilisées. Lisez les instructions relatives au produit et suivez précisément les recommandations du fabricant en ce qui concerne le temps de séchage en profondeur. Quand le degré d'humidité est élevé et que le temps est mauvais, laissez sécher plus longtemps. Si une empreinte a marqué la peinture, attendez qu'elle durcisse bien, lissez-la au papier abrasif sec ou mouillé et repeignez.

Mauvaise résistance au frottement

Une surface peinte s'abîme facilement si vous la frottez souvent ou avec trop de vigueur. Évitez de nettoyer la peinture avec un produit de médiocre qualité et laissez la sécher en profondeur. Utilisez ensuite un détergent doux, sans frotter.

Que faire ?

Lorsque la peinture a bien durci, frottez-la avec un abrasif fin, et appliquez, si nécessaire, un enduit de finition. Passez un primaire/fixateur sur les zones enduites et, après séchage, retouchez avec la peinture de finition. Repeignez ensuite toute la surface avec une peinture de qualité.

Irrégularité de la finition

La surface de peinture paraît irrégulière et semble présenter des taches brillantes. Ce phénomène est causé soit par une mauvaise préparation, soit par une mauvaise application de la peinture. Si le support est poreux ou farineux, appliquez un primaire/fixateur. Peignez ensuite avec douceur et régularité ; évitez de frotter.

Que faire ?

Lissez la surface avec un papier abrasif fin et appliquez une couche de peinture épaisse et régulière.

Résistance insuffisante aux taches

Ce phénomène survient lorsqu'on utilise une peinture de mauvaise qualité qui absorbe facilement les salissures et les taches. Pour l'éviter, préparez correctement la surface et utilisez une peinture de bonne qualité dans des zones qui seront très sollicitées.

Que faire ?

Poncez la surface avec du papier abrasif avant d'appliquer la peinture. Laissez le film sécher en profondeur avant toute « agression ». N'utilisez donc pas votre cuisine avant que la peinture ne soit bien sèche !

Éclaboussures

Lorsque vous utilisez un rouleau pour peindre, il n'est pas rare que des éclaboussures se produisent. Cela peut être dû à une mauvaise qualité de peinture ou de manchon.

Que faire ?
Utilisez une peinture et un manchon de bonne qualité, suivez les instructions des fabricants et ne diluez pas trop le produit quand vous l'appliquez au rouleau. Assurez-vous également que la texture du manchon convient à la peinture employée et au travail à accomplir.

Coulures

Les coulures se produisent quand la peinture est appliquée en excès, souvent dans les angles ou sur les moulures.

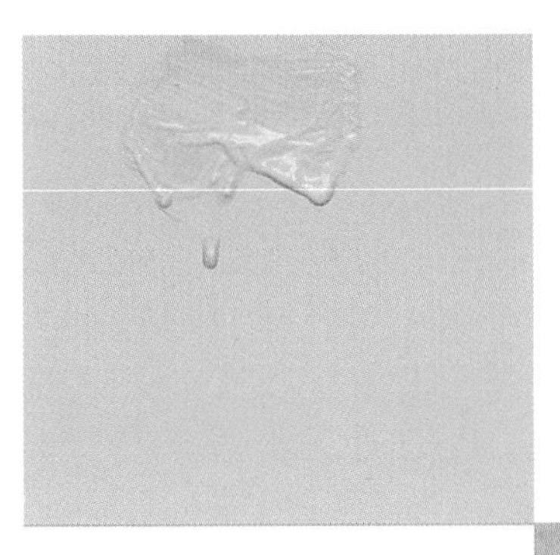

Que faire ?
Laissez la peinture sécher en profondeur en vérifiant les instructions du fabricant. Prenez ensuite un couteau à enduire ou un outil similaire, et raclez les coulures. Lissez la surface avec du papier abrasif fin ou à l'eau. À l'aide de la couleur de finition, effectuez des retouches – si elles se voient après séchage, repeignez le panneau entier.

Grosses coulures

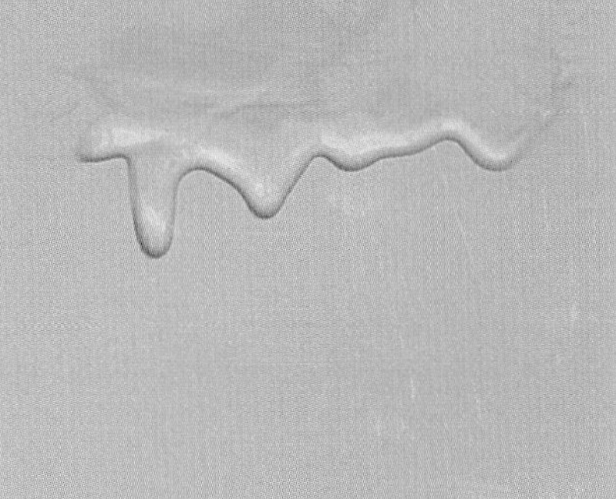

Il arrive que les coulures soient beaucoup plus larges, ce qui se produit surtout sur les surfaces verticales telles que les portes. Ces problèmes peuvent avoir des causes très diverses.

- L'outil d'application était beaucoup trop imbibé ou appliqué avec trop de force.
- La peinture a été mal étalée, puis mal lissée.
- La peinture nécessitant d'être remuée ne l'a pas été. Lisez les instructions.
- La peinture a été trop diluée.

Que faire ?
Si la peinture est encore humide, essayez d'étaler les coulures et de lisser la surface comme il faut. S'il est trop tard, laissez sécher la peinture en profondeur et utilisez un grattoir effilé pour racler les coulures. Poncez le support avec du papier abrasif. Repeignez en appliquant le produit selon les instructions, puis lissez soigneusement. Inspectez la surface pendant le séchage pour corriger les problèmes éventuels.

Joints inadéquats

Il existe des joints flexibles pour nombre d'usages, mais ces produits ne remplissent pas toujours leur fonction s'ils ont été appliqués sur des surfaces mal préparées – poussiéreuses, poudreuses ou poreuses, par exemple. Ce phénomène peut aussi se produire si la surface est trop humide.

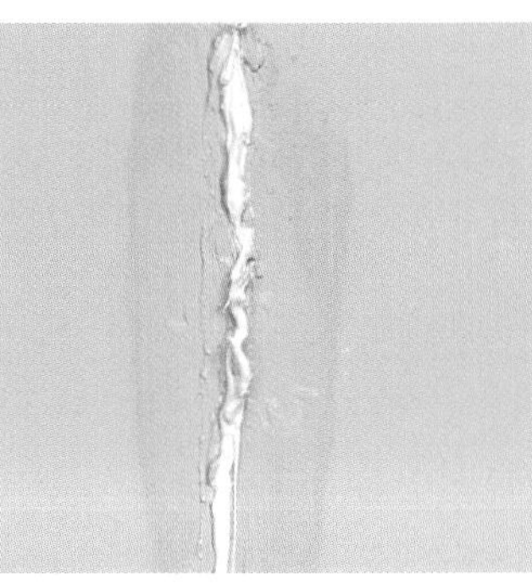

Que faire ?
Assurez-vous que vous choisissez le bon produit et suivez toujours les instructions. Sachez que les joints de silicone utilisés pour les plans de travail, le carrelage et les sanitaires, ne peuvent pas être peints. Employez des joints et mastics spéciaux autour des encadrements de portes et des fenêtres ou dans les endroits de passage. Vérifiez que la surface de travail est sèche, dure et dénuée de poussière. Il vous faudra peut-être appliquer un primaire/fixateur avant de peindre – lisez les instructions du fabricant.

Taches brunes

Ce phénomène se manifeste sous forme de globules ou de taches bruns, plutôt poisseux, sur la surface de la peinture. Il est causé par une humidité excessive et se produit couramment sur les finitions à l'eau, dans des pièces telles que les salles de bains.

Que faire
Lavez la zone avec une lessive décapante et rincez abondamment. Répétez l'opération si nécessaire. Repeignez avec une peinture spécialement conçue pour cuisine et salle de bains. Laissez sécher la peinture en profondeur avant de l'exposer à une humidité importante ou à la vapeur.

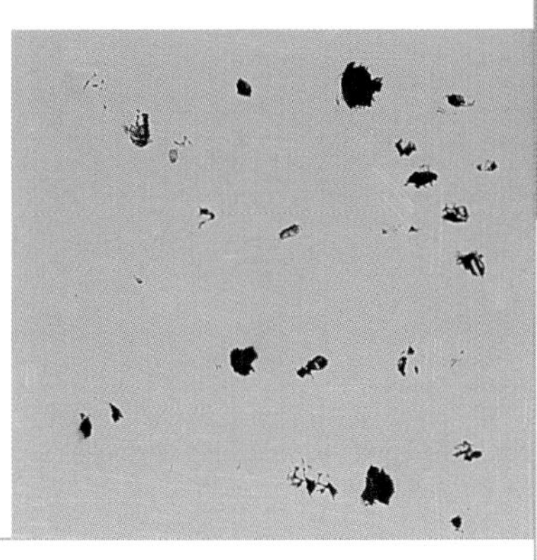

Rides

Une peinture – à l'huile, le plus souvent – peut sécher en se ridant un peu si elle est exposée à des intempéries qui déforment le film.

Que faire ?
Laissez sécher et durcir la peinture. Raclez les rides et lissez la surface avec un papier abrasif. Appliquez un primaire si nécessaire et repeignez. Essayez de protéger l'endroit du froid et de la chaleur intenses, et de lui assurer une bonne ventilation.

Avant de tremper votre pinceau dans le pot de peinture, il y a une foule de choses à régler. Voici un aide-mémoire qui vous aidera à vous organiser, et une liste que vous pouvez cocher au fur et à mesure de votre progression.

Aide-mémoire

Un peu d'organisation

1 Inspectez la pièce pour y relever les petites réparations nécessaires – fenêtres, radiateurs, parquet. Faites-les effectuer avant de commencer vos travaux de peinture.

2 Planifiez bien votre projet. La pièce doit-elle être utilisée pendant les travaux ? Dans ce cas, prévoyez des périodes de pause et de nettoyage.

3 Pouvez-vous retirer les meubles ? Mettez ceux qui restent au milieu de la pièce.

4 Y a-t-il des radiateurs à remplacer ? Faites venir un spécialiste pour les retirer et les réinstaller.

5 Le plâtre est-il en bon état ? Pouvez-vous le réparer vous-même ? Sinon, appelez un spécialiste.

6 Vérifiez votre éclairage de travail – ôtez les appliques ou couvrez-les. Prévoyez rallonges et spots à pince.

7 Réfléchissez longtemps à l'avance aux couleurs que vous voulez appliquer. Rassemblez des échantillons divers. Peignez des morceaux de carton ou de papier avec les teintes choisies et affichez-les dans la pièce pour voir l'effet produit.

8 Gardez ces échantillons qui peuvent vous servir pour choisir des tissus assortis, par exemple.

9 Avez-vous tous les outils et accessoires nécessaires ? Voir liste p. 43.

10 Ayez toujours à portée de main un seau d'eau savonneuse et des chiffons pour vous laver les mains et essuyer les taches.

11 Ayez une trousse de premiers secours – pansements, crème antiseptique et collyre ; les outils sont parfois coupants et des accidents peuvent se produire !

12 Commencez à peindre portes et fenêtres tôt le matin pour pouvoir les fermer le soir.

13 Il est probablement plus facile de repeindre une pièce au printemps et en été quand les jours sont longs et que vous pouvez laisser portes et fenêtres ouvertes.

14 Notez le moment où vous terminez l'application d'une couche pour laisser au produit le temps de sécher en profondeur.

15 Si vous avez peint des étagères, procédez de même et laissez bien durcir la peinture avant de les réutiliser.

16 Prévoyez du temps pour nettoyer vos outils : le travail en sera facilité.

17 Faites une liste des détails à peindre au fur et à mesure pour ne rien oublier.

18 Ayez un carnet à portée de main qui peut vous servir de pense-bête. Les listes à cocher sont pratiques et vous font gagner du temps.

19 Veillez à ne pas être à court de matériel en notant les éléments qui s'épuisent.

20 Amusez-vous – si tel est le cas, votre travail n'en sera que plus réussi.

21 Fêtez votre chef-d'œuvre avec la bouteille de champagne que vous aviez mise au frais pour cette occasion !

Un peu de méthode

- ☐ 1 Enlever les meubles. Si c'est impossible, les regrouper au milieu de la pièce.
- ☐ 2 Enlever et ranger les rideaux.
- ☐ 3 Passer soigneusement l'aspirateur.
- ☐ 4 Protéger les tapis.
- ☐ 5 Prévoir un endroit pour rassembler le matériel.
- ☐ 6 Vérifier que tout le matériel est rassemblé, et en bon état.
- ☐ 7 Retirer la tapisserie murale, si nécessaire.
- ☐ 8 Nettoyer les surfaces à la lessive décapante.
- ☐ 9 Rincer abondamment et laisser sécher.
- ☐ 10 Poncer – plafond, murs, boiseries, éléments métalliques.
- ☐ 11 Nettoyer de nouveau à la lessive décapante et laisser sécher.
- ☐ 12 Enduire, laisser sécher.
- ☐ 13 Poncer les zones enduites.
- ☐ 14 Passer l'aspirateur et essuyer les surfaces poncées avec un chiffon humidifié d'eau tiède.
- ☐ 15 Appliquer la pâte à bois sur les nœuds.
- ☐ 16 Appliquer le primaire/fixateur sur plafond et murs.
- ☐ 17 Traiter la rouille sur le métal.
- ☐ 18 Appliquer le primaire sur le bois. Poncer au papier abrasif fin entre deux couches et essuyer avec un chiffon humide.
- ☐ 19 Passer la première couche sur plafond et mur. Laisser sécher.
- ☐ 20 Enduire et préparer les boiseries.
- ☐ 21 Passer la sous-couche sur boiseries et éléments métalliques.
- ☐ 22 Passer la couche de finition sur plafond et murs.
- ☐ 23 Vérifier la sous-couche sur boiseries et éléments métalliques – l'améliorer si nécessaire.
- ☐ 24 Passer la couche de finition sur boiseries et éléments métalliques.
- ☐ 25 Laisser sécher les fenêtres, gratter la peinture sur les vitres et nettoyer celles-ci.
- ☐ 26 Ôter les housses.
- ☐ 27 Éliminer les taches sur prises et interrupteurs.
- ☐ 28 Laisser sécher les étagères en profondeur.
- ☐ 29 Nettoyer la pièce et passer l'aspirateur.
- ☐ 30 Réinstaller les meubles.
- ☐ 31 Écouter les compliments et fêter dignement son succès.

Glossaire

Adhérence Capacité d'un film de peinture à coller durablement à un support.

Alkyde Résine synthétique utilisée dans les peintures à base de solvants ; les peintures qui en contiennent sèchent plus vite que les peintures à l'huile traditionnelles.

Brillant Qualité d'une peinture luisante. Les surfaces très brillantes reflètent beaucoup de lumière mais elles mettent plus en évidence les irrégularités que les surfaces mates.

Calcul de quantité Grâce au pouvoir couvrant de la peinture indiqué sur le pot (en m^2/l) vous pouvez calculer la quantité de peinture qu'il vous faut (p. 24-25).

Carbonate de calcium Craie, parfois employée comme enduit ou comme élément d'extension dans la peinture.

Cercle chromatique Disque utilisé pour expliquer les relations entre les couleurs.

Chevauchement Superposition partielle de deux applications de peinture qui doit rester invisible.

Colorant Couleur en poudre ou sous forme de liquide concentré que l'on ajoute à une peinture pour créer une couleur particulière.

Couleur à la demande Mélange de couleur créé à votre demande. Les magasins de bricolage peuvent scanner un échantillon de couleur que vous leur apportez : l'ordinateur ajoute alors les colorants voulus à une peinture de base. Ce service n'est cependant pas proposé pour tous les types de peinture.

Couleurs primaires Couleurs fondamentales, jaune, rouge et bleu. Elles permettent de produire toutes les autres couleurs par mélange.

Coulure Traînée de peinture due à un mauvais étalement du produit ou à un outil d'application trop imbibé.

Diluant Liquide utilisé pour rendre une peinture moins épaisse. Il s'évapore dès que le produit est appliqué Le diluant des peintures à l'eau est l'eau ; celui des peintures à l'huile, le white-spirit. Utilisez le produit indiqué sur le pot pour le nettoyage des outils.

Émulsion Mélange d'eau et d'un liant non soluble à l'eau. Les particules du liant restent en suspension dans le liquide. Les émulsions de peinture modernes sont basées sur des polymères synthétiques.

Encadrement Ce qui entoure une ouverture ; il comporte une feuillure à l'intérieur de laquelle vient buter la porte.

Enduit Composé utilisé pour boucher les fissures et les trous : poudre mélangée à de l'eau ou pâte toute prête.

Fenêtre à guillotine Dont les châssis glissent verticalement entre deux rainures ; ce sont les fenêtres des pays anglo-saxons.

Feuillure Rainure dans laquelle vient se loger une autre pièce.

Fixateur Liquide qui fixe des surfaces comme le bois et le plastique et empêche l'absorption de la peinture.

Huile de lin Huile siccative autrefois largement utilisée dans les peintures et vernis à bois.

Huiles siccatives Huiles animales ou végétales qui sèchent et durcissent par oxydation plutôt que par évaporation. L'huile de lin était autrefois très utilisée dans les peintures et vernis.

Inflammabilité Capacité d'une substance à s'enflammer. Certains produits sont inflammables à température relativement basse. Lisez les instructions du fabricant.

Joint Produit garantissant l'étanchéité d'une fissure ou d'un assemblage.

Lessive décapante Lessive très légèrement abrasive qui permet au support d'accrocher la peinture appliquée.

Liant Composant de la peinture qui lie les particules de pigment et provoque l'adhérence de la peinture à son support.

Manchon Élément du rouleau en fibres tissées ou non, à mèches plus ou moins longues, qui applique la peinture.

Mate Peinture qui ne brille pas.

Non soluble Qui ne peut être dissous dans un liquide.

Nuancier Présentoir des couleurs proposées par un fabricant de peinture. Choix de couleurs (voir « palette »).

Opacité Capacité d'une peinture à dissimuler son support ; les produits de qualité ont une meilleure opacité que les autres.

Organique Issu de tissus vivants.

Oxydation Réaction chimique avec l'oxygène – les huiles siccatives sèchent par oxydation.

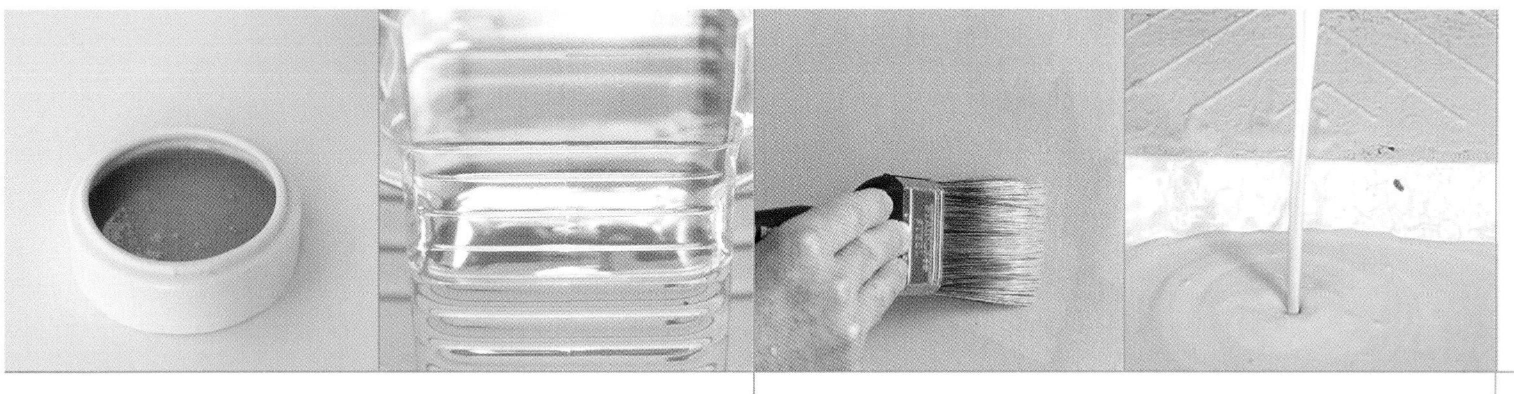

Palette Surface sur laquelle un artiste peintre mélange ses couleurs. Par extension : choix de couleurs.

Papier d'apprêt Papier lisse servant à apprêter des murs nus pour la pose d'un autre papier ou l'application d'une peinture.

Papier peint Revêtement mural décoratif qui peut servir de base pour la peinture s'il est en bon état.

Pâte à bois Produit appliqué sur les nœuds résineux du bois pour les isoler des couches de peinture.

Peinture à l'eau Peinture à base de résines telles que le copolymère d'acétate de vinyle. Elle sèche plus vite que la peinture à l'huile et est plus facile à nettoyer.

Peinture à l'huile Peinture contenant une huile siccative. Son diluant est le white-spirit.

Peinture acrylique Émulsion constituée de pigments de couleur broyés dans une résine et dispersés dans l'eau.

Peinture Liquide opaque composé d'un liant, d'un pigment au moins, d'un diluant et de divers additifs. Appliqué sur une surface, il sèche en formant un film adhérent.

Petits bois Montants et traverses fins d'une fenêtre maintenant les vitres.

Pigment Élément colorant de la peinture. Le pigment, qui reste en suspension dans le solvant, est un composant opacifiant.

Polymère Matériau dérivé d'alcools et de produits pétrochimiques. Certains d'entre eux servent de liant dans les peintures à l'eau actuelles : il en résulte une émulsion.

Pouvoir couvrant Quantité de peinture requise pour couvrir une surface donnée. Ce chiffre est indiqué sur le pot en m^2/l. Le rendement dépend du degré d'absorption de la surface et de la méthode d'application du produit.

Primaire Produit destiné à préparer la surface à peindre pour favoriser l'adhérence de la peinture.

Primaire/fixateur Primaire qui empêche la couche de finition d'être absorbée par la surface.

Ratissage Rebouchage de tous les petits trous d'une surface irrégulière avant de passer l'enduit qui va l'égaliser.

Reprise Les bords de la section que vous peignez doivent rester humides afin que le raccord avec la peinture de la zone adjacente soit invisible.

Retouche Réparations de petits défauts ou dommages par une application de peinture. Gardez les restes de peinture pour les retouches.

Revêtement Peinture, teinte, vernis ou autre finition qui forme un film protecteur.

Soluble Qui peut être dissous dans un liquide.

Solvant Partie liquide de la peinture, constituée du diluant et du liant. Le pigment est dispersé dans le solvant.

Térébenthine Huile volatile autrefois utilisée comme diluant dans les peintures à l'huile. Remplacée aujourd'hui par le white-spirit.

Veines Fibres visibles du bois ou d'un placage. Peignez toujours dans le sens des fibres.

Vernis au polyuréthane Vernis à base d'alkydes.

Index

Q

R

S

Auteur : Patricia Monahan
Consultant : Trevor Dean
Photographe : Deirdre Rooney

Texte traduit et adapté de l'anglais par Catherine Ludet

ISBN : 2501042522
Codification : 4092466/01
Dépôt légal : 48439 - février 2005

Achevé d'imprimer en Espagne par Estella Graficas